Bloody Valentine

Melissa de la Cruz

Bloody Valentine

Traduit de l'anglais (américain)
par Valérie Le Plouhinec

Titre original :
BLOODY VALENTINE
(Première publication : Hyperion Books for Children, New York, 2010)
© Melissa de la Cruz, 2010
Cette traduction a été publiée en accord avec Hyperion Books
for Children.

Pour la traduction française :
© Éditions Albin Michel, 2011

À mes lecteurs.
Vous êtes les meilleurs.

Ainsi pour celui qui aime, l'amour n'est longtemps, et jusqu'au large de la vie, que solitude, solitude toujours plus intense et plus profonde.

Rainer Maria Rilke, *Lettres à un jeune poète*[1]

L'amour est un champ de bataille.

Pat Benatar

---

1. Traduction Bernard Grasset et Rainer Biemel, éd. Grasset.

Nuits d'ivresse à Manhattan

New York
Novembre

Un

Au bar du Holiday

Au *Holiday Cocktail Lounge*, sur St. Mark's Place, dans l'East Village, c'était tous les jours Noël. Les guirlandes lumineuses y restaient accrochées toute l'année, ainsi que les cheveux d'ange qui pendaient le long du comptoir et le sapin, dans le fond, dont les décorations scintillaient gaiement dans la pénombre. Le *Holiday*, comme l'appelaient les habitués, était une véritable institution new-yorkaise. Ce bar, un ancien speakeasy de l'époque de la Prohibition, avait compté parmi ses illustres clients le poète W. H. Auden, qui venait en voisin, et Trotski, qui logeait juste en face.

Personne n'aurait su déterminer précisément les raisons d'une telle longévité. Le succès persistant de l'établissement était une anomalie dans cette ville où les extravagants complexes pour VIP, barrés de cordons de velours et servant des bouteilles de champagne à mille dollars, étaient devenus la norme. Peut-être étaient-ce les cocktails personnalisés – la barmaid semblait toujours savoir ce que vous vouliez boire –, ou bien l'atmosphère cosy qui accueillait chaleureusement tout citadin stressé franchissant la porte. Ou alors les vieux tubes des Stones, rauques et poignants, qui sortaient du juke-box antédiluvien. Le temps ne se contentait pas de s'arrêter, au *Holiday*. Il restait figé, conservé dans l'ambre, aussi épais et visqueux que le whisky artisanal qu'on y servait.

Détail intéressant : l'établissement n'avait jamais, pas une seule fois dans sa longue existence, connu la moindre descente de police. Jamais une bande de clients mineurs n'avait été poussée dans un panier à salade, direction le commissariat le plus proche. Alors que les bars voisins per-daient régulièrement leur licence, le *Holiday* attirait une clientèle d'habitués qui garantissait son succès : jeunes branchés, vieux fatigués, journalistes *people* endurcis qui se livraient une guerre sans merci, auxquels se mêlaient des groupes de touristes à la recherche d'une expérience new-yorkaise « authentique ».

Novembre touchait à sa fin, et dans quelques semaines, la déco qui était absurde presque toute l'année rede-viendrait pertinente. Pendant les fêtes de fin d'année, les propriétaires aimaient ajouter de nouveaux ornements : couronne vert forêt clouée à la porte, tentures représentant le père Noël et ses lutins, élégant chandelier à la fenêtre...

Lorsqu'Oliver Hazard-Perry fit son entrée sur le coup de dix-sept heures trente ce soir-là, les lieux étaient bondés. Oliver fréquentait ce bar depuis son premier permis de conduire falsifié[1], à quatorze ans. Il remonta son col et

---

1. La consommation d'alcool étant prohibée avant vingt et un ans dans de nombreux États, les jeunes Américains utilisent fréquemment

passa d'un pas traînant devant la petite troupe des habitués, à la mine chagrine et à la voix basse, qui sirotaient leur verre aussi lentement qu'ils ressassaient leurs déceptions.

Oliver choisit le tout dernier tabouret au bout du bar, loin des étudiants bruyants, arrivés tôt, qui disputaient déjà une partie de fléchettes. Le *Holiday* n'exerçait aucune séduction sur les traders rasés de frais qui ne pensent qu'à exhiber leur carte Gold. D'ailleurs, cela tombait bien : l'établissement n'acceptait que les paiements en liquide. Bref, ce bar était un havre de paix pour quiconque cherchait un abri dans la tempête, car quoi qu'il arrivât à l'extérieur de ses portes – banqueroute, effondrement, apocalypse –, on y trouvait le réconfort.

C'était précisément ce qui poussait Oliver à y revenir inlassablement. Rien qu'à se trouver là, il se sentait déjà mieux.

– Comme d'habitude ? lui demanda la barmaid.

Oliver approuva de la tête, quelque peu flatté d'avoir été reconnu. C'était la première fois que cela lui arrivait, mais il faut dire que jusqu'à la semaine précédente, il n'avait jamais été très assidu. La serveuse lui fit glisser un verre du fameux whisky du *Holiday*. Oliver le descendit cul sec, puis en commanda un autre, et un troisième. Boire du whisky lui rappelait le jour où Theodora lui avait dit que c'était le

---

de faux permis de conduire, qui servent de pièce d'identité, afin de tricher sur leur âge. (Toutes les notes sont de la traductrice.)

goût le plus proche de celui du sang. Une saveur de sel et de feu. Il ne pouvait s'empêcher d'entretenir sa tristesse, comme les croûtes qu'il avait dans le cou. Il aimait les gratter jusqu'à les faire saigner, pour pousser la douleur à son maximum. Il aurait vraiment dû cesser de boire du whisky. Cela lui faisait trop penser à elle. Mais d'un autre côté, tout, dans cette fichue ville, lui faisait penser à elle.

Il n'y avait pas d'échappatoire. La nuit, il rêvait d'elle, de leur année vécue ensemble, de leurs nuits passées dos à dos. Il se souvenait de l'odeur de ses cheveux après la douche, du pli de ses yeux quand elle souriait. Le matin, au réveil, il était un vrai zombie, fébrile, dépourvu d'énergie. Elle n'était partie que depuis un mois, et c'était un départ sans retour. Oliver l'avait pratiquement donnée à l'autre – non qu'il lui appartînt de la donner, mais elle ne serait jamais partie sans cela. Il savait jusqu'où pouvait aller la loyauté de Theodora, car elle était aussi profonde que la sienne.

Il avait fait ce qu'il fallait – il n'avait aucun doute sur ce point –, mais c'était douloureux quand même. Douloureux parce qu'il savait qu'elle l'aimait ; elle le lui avait dit. Mais ce n'était pas... *suffisant*, pas comme avec l'autre. Oliver ne voulait pas être un deuxième choix, un lot de consolation ; il ne voulait pas de sa loyauté ni de son amitié. Il voulait son cœur entier, et savoir qu'il ne l'aurait jamais était une croix bien lourde à porter.

Si seulement il avait pu l'oublier ! Mais c'était son sang même qui se languissait d'elle, du baiser de ses lèvres douces dans son cou, de la sensation de ses crocs lui perçant la peau et l'emplissant d'une étourdissante vague de plaisir. Désormais, tout son corps était accordé à cette perte. Il la pleurait de toute son âme. Oliver leva un doigt pour commander un autre verre.

– Doucement, cow-boy, lui dit la barmaid avec un sourire. C'est déjà le quatrième. Et il n'est pas encore six heures.

– J'en ai besoin, marmonna Oliver.

– Pour quoi faire ?

Il secoua la tête, et la jeune femme s'éloigna pour prendre des commandes à l'autre bout du comptoir.

Oliver caressait le petit carton dissimulé au fond de sa poche, passant les doigts sur les caractères imprimés en relief. C'était la carte d'un lieu secret, réservé aux humains tels que lui : les sang-rouge abandonnés par leur vampire, les familiers humains en état de manque. Il avait fait bonne figure devant Mimi, le soir de leur première visite là-bas ; il se souvenait bien de sa fausse assurance. Mais ce n'était qu'un mensonge. Il savait déjà, à ce moment-là, qu'il y échouerait un jour ou l'autre. Il lui fallait une dose, rien qu'une morsure... tant pis si ce n'était pas Theo qui la lui administrait : tout ce qu'il voulait, c'était se sentir à nouveau entier. Il voulait que quelqu'un efface la douleur. L'aide à oublier. Bien sûr, il connaissait les dangers : schizophrénie, infection, dépendance ; le risque de ne plus vouloir partir, dès le premier soir. Mais il fallait qu'il y aille. Tout plutôt que cette terrible solitude. Il siffla son whisky avec détermination, reposa brutalement son verre sur le comptoir et fit de nouveau signe à la barmaid.

– Je ne sais pas pourquoi vous croyez avoir besoin de ça, mais c'est sans doute une mauvaise idée, lui dit-elle en essuyant le comptoir avant de le toiser tranquillement de la tête aux pieds.

Elle avait toujours travaillé là, depuis qu'il avait commencé à venir, en quatrième, et Oliver remarqua pour la première fois qu'elle ne semblait pas vieillir : on lui donnait toujours dix-huit ans, avec ses longs cheveux bouclés et ses yeux d'un vert intense. Son minuscule débardeur en coton côtelé blanc laissait entrapercevoir un ventre plat et bronzé. Oliver avait toujours eu un petit faible pour elle, mais sa timidité l'avait empêché de faire quoi que ce soit, à part lui laisser de généreux pourboires. La situation n'était pas tout à fait sans espoir, mais c'était comme être attiré par une star de cinéma : la possibilité que le sentiment soit réciproque était très proche de zéro.

À sa grande surprise, elle sembla s'intéresser à lui.

– Moi, c'est Freya, dit-elle en lui tendant la main.

– Oliver, se présenta-t-il en la serrant fermement.

Sa peau était douce comme du cachemire. Il tâcha de ne pas rougir.

– Je sais, répondit-elle en riant. Le gamin avec le faux permis d'Hawaï. Pourquoi toujours Hawaï ? Parce que ces permis sont plus faciles à falsifier ? C'est sans doute ça. Oh, ne prends pas cet air ahuri, je suis au courant depuis des années.

18

– Les flics ne font jamais de descentes ?

– Qu'ils essaient ! répliqua-t-elle avec un clin d'œil. Bon, alors. Ça doit faire un an que je ne t'avais pas vu, et soudain tu viens tous les soirs. Qu'est-ce qui t'arrive ?

Il secoua la tête.

– Où est passée ta copine ? insista-t-elle. Vous veniez toujours ensemble.

– Partie.

– Ah, commenta Freya avec un hochement de tête. Tant pis pour elle.

Oliver eut un rire creux.

– Voilà, c'est ça.

Tant pis pour elle. Il ne doutait pas de manquer à Theodora ; bien sûr qu'il lui manquait. Mais il la savait plus heureuse, à présent, avec Jack. Et ça, c'était tant pis pour lui. Il prit son portefeuille et en sortit plusieurs billets de vingt dollars.

La serveuse sexy les refusa d'un geste de la main.

– Je ne veux pas de ton argent ce soir. Fais juste une chose pour moi. Quoi que tu sois sur le point de faire, ne le fais pas. Parce que ça ne te fera aucun bien.

Il secoua la tête et posa quelques dollars de pourboire sur le comptoir.

– Merci pour les consos, mais je ne vois pas du tout de quoi tu parles, bredouilla-t-il sans croiser son regard.

Que savait-elle de ce qu'il avait en tête ? Et qu'est-ce que ça pouvait bien lui faire ?

Oliver sortit dans la nuit sans nuages. C'était le genre de

19

soirée qui, il n'y avait encore pas si longtemps, les aurait trouvés, Theo et lui, arpentant les rues de New York au hasard de leur envie du moment. Mais c'était fini, les cappuccinos tardifs au *Café Reggio*. Fini, les incursions dans des pubs minuscules pour aller écouter un nouveau chanteur avec sa guitare. Fini, les petits déjeuners aux aurores chez *Yaffa* après une nuit sans sommeil. C'était terminé, tout ça. À jamais.

Et cela n'avait plus d'importance. Sa voiture et son chauffeur l'attendaient le long du trottoir. Il donna l'adresse. Bientôt, il aurait tout oublié, jusqu'au nom de Theodora. Avec un peu de chance, il oublierait même le sien.

DEUX

La pomme empoisonnée

Oliver n'aurait jamais imaginé que la maison de sang, qui ressemblait à un bordel de la Belle Époque avec ses divans de velours et son éclairage tamisé, pût abriter des équipements médicaux si modernes. L'espèce de mère maquerelle qui tenait l'établissement l'avait envoyé au dernier étage sans cesser de mâchonner son cigare : il devait passer une batterie de tests avant qu'elle puisse l'inscrire sur la liste des familiers de la maison.

– Nous devons nous assurer que vous n'êtes pas porteur de maladies préjudiciables à nos clients, lui expliqua le médecin tout en lui examinant la gorge à l'aide d'une petite lampe.

Oliver tenta d'acquiescer mais, comme il avait la bouche ouverte, il garda le silence. Après quoi il fut abondamment palpé, puis piqué par un assortiment d'aiguilles pour diverses prises de sang. Lorsque l'auscultation fut terminée, on le mena au psychiatre maison, dans une autre pièce.

– La défamiliarisation, c'est-à-dire la désactivation des marqueurs de votre vampire d'origine, n'est pas un processus physique, lui expliqua celui-ci. Le poison présent dans votre sang est la manifestation de l'amour que vous éprouvez pour l'être en question. Ce que nous faisons ici, c'est *éradiquer* cet amour et désavouer son influence sur votre psychisme, ce qui élimine le poison. L'expérience peut être douloureuse, et son issue est imprévisible. Certains familiers se retrouvent si désemparés qu'ils passent très près de la mort. D'autres perdent tout souvenir de leur vampire. Chaque cas est unique, comme l'est chaque relation entre vampire et familier. (Le praticien se mit à griffonner sur son bloc-notes.) Pouvez-vous me parler un peu de votre relation ?

– Nous étions amis. Je la connais depuis toujours. J'étais son Intermédiaire.

Oliver constata avec soulagement que le médecin ne semblait pas désapprouver cette révélation.

– Je l'aimais, poursuivit-il. Je l'aime toujours. Pas seulement parce qu'elle est mon vampire... C'est bien davantage que cela.

– Que voulez-vous dire ?

– Je veux dire que je l'aimais déjà avant qu'elle m'ait mordu.

Il repensa à la manière dont il avait voulu se convaincre qu'il ne l'avait aimée qu'après sa transformation. C'était faux. Il l'avait aimée toute sa vie. Il ne s'était menti à lui-même que pour se sentir moins mal.

– Je vois. Et le Baiser sacré... C'était son idée, ou la vôtre ?

– C'était nous deux, je crois. Je ne me souviens pas bien... Nous comptions le faire plus tôt, mais nous nous sommes dégonflés, et puis... c'est arrivé, comme ça. Nous ne l'avions pas vraiment prévu, pas à ce moment-là.

– Donc, l'idée viendrait plutôt d'elle.

– Je crois.

Le docteur lui ordonna de fermer les yeux, et Oliver s'exécuta docilement.

– Commençons par le commencement. Vous allez reprendre tous vos souvenirs heureux, un par un, puis les rejeter. Vous allez lâcher prise.

Les paroles du psychiatre résonnaient directement dans sa tête. Il comprit que c'était une compulsion.

Tu n'es pas lié à elle.

Tu ne lui appartiens plus.

Tandis que la voix calme du médecin continuait à bourdonner, des images se succédèrent dans l'esprit d'Oliver. Theodora à cinq ans : timide et mutique. Theodora à neuf ans : taquine et enjouée. Theodora à quinze ans : belle et calme. L'hôtel *Mercer*. Les gestes maladroits. Puis sa chambre d'enfance, où cela s'était finalement produit. Sa senteur douce, son parfum de jasmin et de chèvrefeuille. Ses crocs acérés lui perçant la peau.

Oliver sentit que ses joues étaient mouillées. Il pleurait. C'était trop. Theodora occupait chaque recoin de son âme, de son sang ; elle lui était aussi nécessaire que sa propre peau. Il ne pouvait pas lâcher prise.

Que se passait-il ? Il n'avait rien à faire là. C'était contraire au Code. Si le Sanctuaire l'apprenait, il serait renvoyé de son poste. Ce serait une humiliation pour sa

23

famille ; leur réputation serait ruinée. Il ne se rappelait même pas pourquoi il était venu. Il commença à paniquer et se mit à chercher une issue, mais la litanie continuait et martelait la compulsion dans sa tête.

Tu n'es plus son familier.

Tu n'es personne.

Non. Non. Ce n'est pas vrai. Oliver se sentait misérable et perdu. Il ne voulait pas lâcher son amour pour Theodora. Même si le chagrin l'empêchait de dormir et de manger. Il voulait s'accrocher à ces souvenirs. Son seizième anniversaire, où Theo avait peint son portrait et lui avait apporté un gâteau décoré de deux cœurs. Non. Il devait retenir tout cela... Il le fallait... Il le fallait... Non... il pouvait lâcher prise. Il pouvait écouter cette voix agréable, apaisante, et lâcher prise. Tout lâcher.

Il n'était personne.

Il n'était rien.

Le cauchemar touchait à sa fin.

Lorsqu'il reprit conscience, les visages des médecins étaient penchés sur lui. Une voix qu'il ne sut identifier résonna.

– Les résultats sont revenus du labo. Il est *clean*. Mettez-le sur la liste.

Quelques minutes plus tard, il se trouvait dans le hall en compagnie d'un groupe de jeunes familiers. Chancelant, il avait mal à la tête et ne savait plus pourquoi il était venu. Mais il n'eut pas le temps s'interroger sur ses pensées troubles, car soudain les rideaux s'écartèrent et une superbe vampire pénétra dans la pièce.

– *Bonsoir*[1], le salua-t-elle.

Elle avait la taille mannequin et un port de reine. Elle appartenait à l'Assemblée européenne, cela se voyait, avec sa tenue de voyage impeccablement coupée et son accent français si suggestif. Son partenaire de lien entra sur ses talons. Grand et mince, il arborait une tignasse brune ébouriffée et une expression languide. On aurait dit deux chats maigres, tout en angles sous leurs pulls à col roulé noirs, Gauloise au bec, le regard lourd.

– Toi, ronronna la femme en fixant Oliver. Viens avec moi.

Son partenaire porta son choix sur une adolescente à l'air hagard, et les deux humains suivirent le couple dans l'une des chambres richement décorées de l'étage. Presque toute la maison de sang était pauvrement meublée ; la plupart des chambres n'étaient séparées que par de fins rideaux. Mais cette pièce était aussi luxueuse qu'une suite d'hôtel cinq étoiles. Cet espace grandiose comprenait un lit *king size* couvert d'un somptueux plaid en fourrure, des miroirs à cadre doré et tout un ensemble de mobilier baroque.

Le vampire attira la fille sur le lit, la débarrassa de sa robe et se mit immédiatement à s'abreuver. Oliver regardait sans comprendre. Il ne savait pas bien ce qu'il faisait dans cette chambre, si ce n'est qu'il avait été choisi et désiré.

---

1. En français dans le texte.

– Du vin ? lui demanda la femelle en prenant une carafe en cristal sur le bar à comptoir de verre.

– Non merci.

– Relax, je ne mords pas, s'esclaffa-t-elle. Du moins... pas encore.

Elle but une longue gorgée tout en regardant son partenaire vider la fille de son sang.

– Ça a l'air délicieux.

Elle écrasa sa cigarette sur le tapis persan, laissant un petit trou brun.

– À mon tour, dit-elle en poussant Oliver sur l'un des fauteuils anciens.

La vampire le chevaucha et l'embrassa dans le cou. Elle avait un parfum lourd et huileux, la peau sèche comme du papier. Elle n'était pas aussi jeune qu'elle en avait l'air.

– Par ici, je te prie, dit-elle en le faisant pivoter vers le grand lit. Il aime regarder.

Oliver vit le vampire mâle s'accouder en souriant lascivement, à côté de la jeune humaine, inconsciente et nue sur le jeté de lit. Il ne cilla pas. Il se rappelait, à présent, pourquoi il était venu.

C'était la vampire qui l'avait choisi. Une fois qu'elle aurait plongé ses crocs dans sa peau, il aurait tout ce qu'il désirait... Il revivrait le Baiser sacré... Son corps en avait besoin... Il le voulait tant...

Il ferma les yeux.

L'haleine de la créature était brûlante et empestait la

26

cigarette ; c'était comme embrasser un cendrier, et la puanteur le tira de son hébétude.

Quoi que tu sois sur le point de faire, ça ne t'aidera pas.

Battant des paupières, il vit un visage doux et attentionné le regarder. Qui était-ce ? Freya, se rappela-t-il. Elle s'inquiétait pour lui. Freya était belle, bien plus que la vampire assise sur ses genoux et qui n'était que glamour, une simple façade de beauté dissimulant un intérieur minable. Freya, elle, rayonnait d'une lumière incandescente. Elle avait une étincelle dans le regard. Et elle lui avait dit de ne pas faire ceci.

Qu'était-il en train d'accomplir ?

Que faisait-il là ?

Alors, il se rappela... la maison de sang. Attendez. Qu'avait-il fait ? Il pouvait supporter le chagrin. Il pouvait vivre avec le manque... de qui, déjà ? Il ne savait plus... Mais soudain, tous ses souvenirs lui revinrent en avalanche. Comme s'il se réveillait. Il se sentait de nouveau vivant. Il pouvait vivre avec la peine. Mais jamais ne se pardonnerait ceci. Il ne pouvait pas oublier. Il n'oublierait pas. Il n'oublierait jamais... Theodora...

Theodora.

Freya.

Theodora.

La vampire le mordit dans le cou. Aussitôt, elle se rejeta brutalement en arrière avec un hurlement, le visage brûlé par l'acide contenu dans son sang.

– Du poison ! Du poison ! Il est encore marqué !

Oliver s'enfuit à toutes jambes.

TROIS

Un brin de ménage

I l était près de quatre heures du matin lorsqu'il regagna le Holiday. Freya, debout derrière le comptoir, faisait tinter un couteau contre un verre à cocktail.

– On ferme ! On ferme, messieurs-dames !

À la vue d'Oliver, son visage se fendit d'un large sourire.

– Te revoilà !

Puis elle le scruta.

– Tu ne l'as pas fait.

– Non. J'ai... j'ai failli.

Il ne se demandait plus comment elle savait où il était allé et dans quel but.

– Je ne l'ai pas fait parce que j'ai pensé à toi.

– C'est bien.

Sans cesser de sourire, elle désigna le placard à balais.

– Allez, aide-moi à nettoyer. Un peu d'huile de coude te fera du bien. Ensuite, je t'autorise à me raccompagner chez moi.

Oliver s'empara d'un balai et entreprit de briquer le sol, ramassant les pailles en plastique et les serviettes trempées tombées par terre. Il aida la jeune fille à nettoyer le comptoir et à essuyer les verres, qu'il rangea soigneusement sur les étagères. Freya avait raison : l'activité physique lui faisait du bien.

Le dernier des habitués finit par sortir en titubant, et ils se retrouvèrent seuls tous les deux. Oliver jeta un regard circulaire autour de lui et se rendit compte qu'au fil des ans, il n'avait vu personne d'autre que Freya travailler là. Comment une fille aussi frêle pouvait-elle tenir l'établissement à elle toute seule ?

Une fois le bar bien propre, Freya enfila une grosse veste militaire kaki, qui paraissait gigantesque sur son corps menu. Le genre de vestes que portent les Forces spéciales pour sauter en parachute dans la jungle. C'était incongru, par contraste avec ses traits délicats. L'effet n'en était que plus charmant. Elle remonta la capuche pour couvrir ses cheveux.

– Viens, j'habite juste au coin de la rue.

Elle s'arrêta chez un épicier coréen, en bas de chez elle. Elle choisit un bouquet de fleurs, deux barquettes de fruits frais et un peu de menthe. Contrairement aux denrées fatiguées que l'on trouvait habituellement dans ces petites épiceries de quartier, tout ce que touchait Freya semblait rayonner : les fraises étaient rouges et appétissantes, les melons d'un jaune presque fluo. La menthe sentait si bon qu'on l'aurait crue fraîchement cueillie dans un champ de Provence.

Freya entraîna Oliver jusqu'à un bâtiment décrépit à la porte cassée.

– On n'a pas encore été prévenus que le quartier se
« boboïsait », plaisanta-t-elle.

Il la suivit jusqu'au troisième palier, qui comptait quatre
portes. Freya ouvrit celle qui était peinte en rouge.

– Heureusement que je donne sur la rue. Ces deux autres
apparts sont sur cour, c'est sombre.

Vu du palier, l'appartement semblait petit, surtout pour
New York. Une baignoire à l'ancienne, à pattes griffues, trô-
nait au milieu de la pièce, et la minuscule kitchenette était
équipée d'appareils vieillissants. Un lit à baldaquin garni de
tapisserie à motifs cachemire était collé à la fenêtre. Mais
une fois dans la pièce, Oliver découvrit avec stupeur qu'elle
n'était pas aussi exiguë qu'il l'avait cru à première vue. Il
s'était trompé. En fait, l'appartement était vaste et superbe,
avec une bibliothèque bourrée de livres d'un côté et une
vraie salle à manger de l'autre.

– Assieds-toi, lui dit Freya en indiquant un canapé moelleux qu'il était sûr de ne pas avoir vu avant.

Des portraits d'ancêtres étaient accrochés aux murs, ainsi
que des tableaux qui paraissaient dignes d'un musée. Celui-
ci, n'était-ce pas un Van Dyck ? Et celui-là, certainement un
Rembrandt. L'atmosphère bohème et fauchée que l'on
s'attendait à trouver s'était envolée, et Oliver se retrouva
installé dans un vrai canapé, au cœur d'un salon élégam-
ment meublé, devant une cheminée où le feu ronflait. Les
fenêtres donnaient toujours sur l'Avenue C, mais Oliver
aurait juré qu'il entendait la mer.

Freya disparut dans la chambre du fond pour se changer.

(Cette chambre non plus, il ne l'avait pas vue depuis la porte ; et qu'était devenu le lit à baldaquin ? Et la baignoire à griffes de lion ? Était-il en train de perdre la raison ?) Lorsqu'elle revint, elle portait un pyjama en flanelle. Elle alluma la cuisinière – un vrai piano moderne et design, et non l'antiquité blanche qu'Oliver avait entraperçue en arrivant – et se mit en devoir de casser des œufs.

– Tu as besoin d'un bon petit déjeuner, murmura-t-elle en ciselant la menthe.

Une délectable odeur de beurre chaud s'éleva de la cuisine et, au bout de quelques minutes, Freya posa deux assiettes sur la table dans le coin petit déjeuner. À ce moment-là, Oliver avait déjà accepté le fait que l'appartement n'était pas tout à fait ce qu'il était, et il ne s'étonnait plus de découvrir encore d'autres pièces de mobilier aussi belles que confortables. Était-ce un rêve ? Si oui, il ne demandait qu'à rester endormi.

Oliver prit une bouchée. Les œufs étaient crémeux, onctueux, et la menthe leur donnait une saveur intéressante. Il termina le tout en trois bouchées.

– Tu avais faim, fit observer Freya en remontant les genoux sous son menton.

Il opina de la tête et s'essuya les mains sur une serviette en lin. Il la regarda déguster ses œufs lentement, en savourant chaque bouchée.

– Parle-moi d'elle, dit la jeune femme en léchant sa fourchette.

– C'était ma meilleure amie.

Il lui raconta tout sur leur amitié, de ses débuts à sa fin poignante. Il découvrit qu'avec Freya, il pouvait évoquer Theodora sans éprouver de chagrin. Il rit et se replongea avec bonheur dans ses souvenirs. Il parla jusqu'à l'aube. Il se rappelait vaguement avoir aidé à faire la vaisselle, puis s'être endormi dans le lit de la fille.

– Tu es trop jeune pour te sentir si perdu et anéanti, lui avait chuchoté Freya avant qu'il ferme les yeux.

À son réveil, dans l'après-midi, il la tenait dans ses bras.

QUATRE

Changement de propriétaire

Oliver retourna en classe et reprit le cours de sa vie. Il y avait des semaines qu'il ne s'était senti si bien, et il avait hâte de revoir Freya. Elle était difficile à joindre : elle ne répondait pas au téléphone et ne le rappelait pas, mais entre le lycée et le travail au Sanctuaire, il n'avait pas le temps de trop s'ennuyer d'elle. Il attendit une semaine avant de retourner au *Holiday*.

Dès son arrivée, il remarqua que quelque chose avait changé. Tout d'abord, il y avait un videur à l'entrée, muni d'une lampe-torche, qui étudia son faux permis d'un air mauvais.

– Hawaï, hein ? grogna-t-il, sceptique.

– Écoutez, je ne compte pas boire d'alcool. Je viens juste voir Freya.

– On n'a personne de ce nom ici.

– Allez, quoi...

– Tu peux demander à Mack, mais il te répondra la même chose, dit le gorille en lui rendant sa carte. Et je te préviens, si tu commandes un verre d'alcool, on te jette dehors par la peau des fesses.

Oliver le remercia d'un hochement de tête et pénétra dans le bar. Le videur n'était pas la seule nouveauté. Il y avait désormais trois employés derrière le comptoir. Deux messieurs d'un certain âge avec nœud papillon, et une jolie fille qui avait la beauté glacée d'une apprentie actrice, mais absolument pas le charme de Freya. Même la clientèle était nouvelle : c'étaient des individus tirés à quatre épingles, habillés couture, qui descendaient des cocktails couleur pastel servis dans des verres à martini. Quant à la carte des consommations, elle était reliée de cuir et proposait des alcools de grande marque.

C'était un océan d'inconnus. Où étaient donc passés les journalistes batailleurs, les vieux au visage las, les jeunes jouant aux fléchettes ? Et d'ailleurs, où était le jeu de fléchettes ? Et le billard ? D'accord, les guirlandes de Noël étaient toujours là, mais il y avait à présent un père Noël mécanique qui chantait, et le charme nostalgique un peu déglingué de cet endroit où venait s'abreuver une faune bigarrée était rompu : le *Holiday* ressemblait à une réplique aseptisée de ce qu'il avait été.

Oliver soupira et joua des coudes pour rejoindre un élégant tabouret de bar. Il commanda de l'eau gazeuse et attendit. Même si le *Holiday* avait changé, Freya y était toujours. C'était obligé.

Les heures passèrent. Les clients s'en allèrent. Les serveurs lui jetèrent des regards noirs. Mais Oliver resta jusqu'à la fermeture.

CINQ

De l'amour et du courage

O liver ignorait depuis combien de temps il attendait, debout sur le trottoir, un bouquet de lys à la main, mais vers quatre heures du matin, elle arriva enfin. Elle portait toujours la même veste militaire, mais cette fois elle n'avait pas remonté la capuche, et ses cheveux bouclés dansaient dans le vent.

– Qu'est-ce que tu fais là ? lui demanda-t-elle.

Oliver fut soulagé de constater qu'elle ne semblait pas fâchée, juste légèrement amusée.

– Tiens-moi ça, ajouta-t-elle en lui tendant un filet à provisions le temps de prendre ses clés dans son sac.

– Je t'ai attendue au *Holiday*. Tu n'es pas venue. Est-ce que j'ai fait quelque chose de mal ? Tu ne veux plus me voir ?

Freya déverrouilla la porte du bas sans répondre. Ils s'engagèrent dans l'escalier étroit.

– Comment m'as-tu retrouvée ? lui demanda-t-elle en entrant dans l'appartement.

Oliver plissa le front pour réfléchir. Ça n'avait pas été

facile. Il était sûr qu'elle habitait à l'angle de la Septième Rue et de l'Avenue C. Mais il avait fait tout le tour du pâté de maisons sans trouver l'épicerie coréenne ni l'immeuble décrépit à l'auvent rouge. Il était sur le point de renoncer lorsqu'il s'était rendu compte qu'il se trouvait juste devant. Comment ne l'avait-il pas vu plus tôt ?

Il s'installa dans l'un des fauteuils moelleux.

– Je ne sais pas trop. Qu'est-il arrivé au *Holiday* ? Ça a changé. Et tu n'y étais pas.

– Je l'ai vendu. Je déménage.

– Pourquoi ?

– Il était grand temps. (Elle croisa les bras.) Tu as meilleure mine.

– Merci.

– Du thé ?

– Oui.

Il attendit, le temps que l'eau bouille et que Freya lui prépare une tasse. Lorsqu'elle la posa devant lui, il prit sa main et la retint, longtemps. Il avait tant envie d'elle... Elle le regarda. Pendant un instant, ils restèrent muets.

– Je croyais avoir fait tout ce que j'avais à faire, dit-elle enfin.

– Pourquoi me repousses-tu ? Je ne suis plus un petit garçon.

Il l'attira auprès de lui et elle s'assit sur ses genoux. Elle ébouriffa ses cheveux.

– Non, c'est vrai. Tu as raison.

Il se pencha en avant et l'embrassa. Il n'avait jamais

38

embrassé une autre fille que Theodora. Mais cette fois, il ne pensait plus du tout à elle. Il ne pensait qu'à Freya.

Elle sentait le lait, le miel et les effluves merveilleux du printemps. Elle bougeait contre lui, et il l'attira plus près pour pouvoir poser la main sur sa poitrine. Son cœur battait comme un tambour... il était si nerveux... Que faisait-il ? Il ne savait pas comment s'y prendre... ne s'était pas préparé... et pourtant. Il entendit Freya soupirer, mais ce n'était pas un soupir agacé... c'était le son de l'acceptation, de l'invitation.

– Viens, dit-elle en l'entraînant vers le lit.

Elle se déshabilla et se glissa sous les couvertures. Elle était belle comme un Botticelli. Oliver retira ses vêtements aussi vite que le lui permettaient ses mains tremblantes et alla la rejoindre dans le lit. Il était atrocement anxieux : et si elle éclatait de rire ? S'il ne faisait pas ce qu'il fallait ? Pouvait-on se tromper en ce domaine ? Il n'était pas complètement innocent, mais pas très expérimenté non plus. Et si elle n'aimait pas ce qu'il... Son corps était chaud et accueillant, et il s'abattit sur elle comme un homme assoiffé devant une cascade. Il ne douta plus. Ne s'inquiéta plus. Sa nervosité s'envola.

C'était sa première fois. Avec Theodora, ils avaient attendu le bon moment, ou peut-être avaient-ils attendu parce qu'ils savaient que le bon moment ne viendrait jamais. C'était sans importance. Seule Freya comptait, désormais.

Il sentait les mains chaudes et légères de la fille sur son corps, et frissonna contre elle. Dans son cou, des lèvres douces l'embrassèrent. Elle le serra plus fort, et ils s'unirent. Le corps de Freya ondulait sous le sien, il la regarda au fond des yeux, entendit son appel.

Il y avait tant à ressentir, tant à voir... Il était à la fois dans son propre corps et en dehors, dans son sang et en dehors. Il flottait au-dessus, les regardait tous les deux d'en haut, s'émerveillait de voir leurs membres glissants et luisants s'entremêler alors qu'ils roulaient ensemble, s'émerveillait de l'image qu'ils composaient, imbriqués l'un en l'autre. Il avait l'impression qu'elle le retournait comme un gant, et qu'il ne pouvait que continuer à faire ce qu'il faisait, et il la sentait sur tout son corps, dans tout son corps, dans toute son âme.

Lorsque ce fut terminé, il était en nage et tremblait de tous ses membres. Ouvrant les yeux, il constata qu'il se trouvait toujours dans la même chambre et regardait toujours le même plafond fissuré.

– Je t'aime, dit-il, et il le répéta, encore et encore. Je t'aime, Freya.

Elle le regarda avec tendresse.

– Non, mon chéri, tu ne m'aimes pas. Mais tu n'as plus mal.

SIX

Un dernier au revoir

L e lendemain matin, ils allèrent prendre le petit déjeuner au *Veselka*, un petit restaurant ukrainien réputé
pour son borscht. Oliver avait une faim de loup et une énergie débordante. Il ignorait si c'était le manque de sommeil
ou l'acte d'amour, mais il se sentait totalement régénéré. Il
trouva même le courage de poser à Freya la question qu'il
redoutait depuis l'instant où il avait remarqué le change-
ment irrévocable du *Holiday*.

– Où t'en vas-tu ? lui demanda-t-il tout en embrochant
un *piroshki* pour le tremper dans la crème aigre.

– Ma famille rentre à la maison. À North Hampton.

– Pourquoi ?

– C'est compliqué, répondit-elle d'un air penaud. Je te
raconterai ça une autre fois.

Oliver se carra sur la banquette, contre le cuir craquelé.
Se sentait-il mieux ? Différent ? Plus mal ? Mieux. Sans
aucun conteste, mieux. Il porta les doigts à son cou. La douleur lancinante n'y était plus.

Theodora. Il pouvait prononcer son nom. Il pouvait se

souvenir d'elle sans souffrir. Se rappeler et honorer leur amour, leur amitié, mais sans être torturé par son absence. C'était comme si Theo était derrière un mur de verre. Elle faisait partie de son passé, mais n'était plus le tourment de son avenir. Son amie lui manquait. Mais il survivrait à sa perte. C'était tant pis pour *elle*.

Il reposa sa fourchette.

– Qui es-tu ? Qu'es-tu ?

Freya sourit.

– Je suis une sorcière. Mais ça, je pense que tu le savais déjà, scribe.

– Tu es au courant pour les sang-bleu ?

– Oui. Bien sûr. Forcément. Mais nous ne nous mêlons pas de leurs affaires. Ma famille n'aime pas... intervenir. Seulement, toi, tu étais un cas à part.

– Te reverrai-je un jour ?

– Peut-être, lâcha Freya d'un air pensif. Mais je ne crois pas que tu en auras besoin.

Elle avait raison. Il n'était pas amoureux d'elle. Il l'avait aimée la nuit précédente, et c'était bien de l'amour qu'ils avaient partagé. Mais à présent elle s'en allait, et ce n'était pas grave.

Oliver était de nouveau lui-même. Il avait les souvenirs de l'époque où il était le familier humain de Theodora, mais il ne ressentait plus le manque, le besoin. La souffrance ne rongeait plus son âme. Ses sentiments pour elle ne lui avaient pas été arrachés par la force. Au contraire, son amour avait été absorbé et dispersé dans son esprit. Cet amour ferait toujours partie de lui, mais n'avait plus le pouvoir de le blesser. Et cela, c'était l'œuvre de Freya. Elle l'avait guéri. Freya la sorcière.

– Merci.

Il se leva pour l'embrasser sur le front.

– Merci, du fond du cœur.

– Oh, mais mon chéri, c'était un plaisir.

Une dernière accolade, et leurs chemins se séparèrent.

Oliver descendit la rue dans la direction opposée à celle de Freya. Son portable se mit à vibrer, et en voyant le numéro, il répondit immédiatement. Il écouta pendant un instant, puis son visage s'éclaira d'un sourire.

– C'est vrai ? Ouah ! Félicitations. Quand ? Bien sûr que j'y serai. Je ne manquerais ça pour rien au monde.

Les œufs brouillés pour cœurs brisés de Freya Beauchamp.
(Pour ceux qui aiment trouver un peu de magie dans leur petit déjeuner)

   œufs
   crème épaisse
   menthe fraîchement ciselée
   sel
   poivre noir
   beurre

Tout en ciselant la menthe, répéter ces vers :

43

Les cœurs brisés souffrent en silence
Mais les blessures de l'âme, la menthe les panse
La Déesse t'insuffle une vie nouvelle
Retrouve l'amour et tu verras comme elle est belle.

Battre les œufs avec la crème dans un bol. Ajouter la menthe ciselée, le sel et le poivre. Faire fondre une noix de beurre dans une poêle à feu moyen. Ajouter la mixture ; laisser cuire deux minutes sans remuer. À l'aide d'une grande cuillère, retourner jusqu'à ce que l'ensemble soit cuit mais moelleux.

Garnir de feuilles de menthe.

Pour un cœur brisé et un cœur amical.

(Adapté du *Livre de la Magie blanche* par Ingrid Beauchamp)

TOUT CE QUE JE VOIS
ME FAIT PENSER À TOI

Académie Stuart Endicott
Endicott (Massachusetts), 1985

Un

Patient Zéro

Lorsqu'elle se réveilla, Allegra Van Alen souffrait d'un violent mal de crâne, et elle ne comprit pas sur-le-champ où elle se trouvait. Elle était vêtue d'une blouse d'hôpital, mais elle savait qu'elle était encore à Endicott puisque, de sa chambre, elle apercevait le clocher de bois blanc de la chapelle. Elle devait donc se trouver dans la clinique du campus, ce qui lui fut confirmé par l'apparition de l'infirmière portant une assiette de cookies.

Mrs Anderson était une soignante aimée de tous, qui veillait comme une mère sur les élèves et s'assurait toujours qu'il y avait des fruits frais au réfectoire. Elle entra avec un sourire inquiet.

– Comment te sens-tu, chérie ?

– Je survivrai, je crois, répondit faiblement Allegra. Que s'est-il passé ?

– Un accident sur le terrain de sport. Il paraît que tu t'es pris la balle dans la tête.

– Aïe !

47

Avec une grimace, Allegra gratta le bandage qui lui ceignait le front.

– Tu as de la chance. Le médecin dit qu'un tel coup aurait eu raison d'un sang-rouge.

– Combien de temps suis-je restée inconsciente ?

– Quelques heures.

Allegra gémit.

– Est-ce que j'ai une chance de sortir aujourd'hui ? J'ai un contrôle de latin demain, et il faut que je révise.

À l'instar de tout le lycée, la clinique était confortable. Elle était sise dans un *cottage* douillet, typique de la Nouvelle-Angleterre, avec du mobilier en rotin blanc et des rideaux à fleurs vivement colorés. Mais là, tout de suite, Allegra n'avait qu'un désir : se réfugier dans sa chambre, avec ses posters de Cure en noir et blanc, son vieux bureau à cylindre et son Walkman tout neuf, pour écouter Depeche Mode, seule. Même depuis la clinique, elle entendait des bribes de chansons de Bob Dylan par la fenêtre ouverte. Tous les autres élèves écoutaient la même musique vieille de vingt ans, comme si la vie de ce lycée privé était restée bloquée dans une boucle spatio-temporelle. Allegra n'avait rien contre Dylan, mais elle ne voyait pas la nécessité de toutes ces affres existentielles.

Mrs Anderson fit gonfler ses oreillers, puis reposa sa patiente dans leur douceur moelleuse.

– Pas encore. Le Dr Perry ne va pas tarder à arriver de New York pour jeter un œil sur toi. Ta mère a insisté.

Allegra soupira. Pas étonnant que Cordelia ait insisté. Sa

mère la surveillait comme un aigle et déployait plus que les soins maternels lambda. Cordelia considérait la maternité comme une mission comparable à la garde d'un précieux vase Ming. Elle traitait sa fille avec toutes les précautions possibles et se comportait toujours comme si Allegra était au bord de la dépression, en route pour l'asile de fous, alors même que sa santé crevait les yeux. La jeune fille était gaie, bien entourée, sportive et toujours de bonne humeur.

La vie sous la garde de Cordelia était étouffante, à tout le moins. Et par conséquent, Allegra avait hâte d'avoir dix-huit ans afin de quitter la maison pour de bon. L'anxiété dévorante de sa mère était l'une des raisons qui l'avaient poussée à faire campagne pour partir de Duchesne et s'inscrire à Endicott. À New York, il n'y avait pas moyen d'échapper à son influence. Tout ce que voulait Allegra, c'était être libre.

Mrs Anderson finit de prendre sa température et rangea le thermomètre.

– Tu as quelques visiteurs qui t'attendent derrière la porte. Veux-tu que je les fasse entrer ?

– D'accord.

Sa tête commençait à aller un peu mieux ; elle n'aurait su dire si c'était dû au chocolat fondu dans les fameux cookies de Mrs Anderson ou à la dose massive d'analgésique que l'infirmière lui avait administrée.

– Bien, les jeunes, vous pouvez venir. Mais ne la fatiguez pas. Je ne voudrais pas qu'elle rechute maintenant. Doucement, doucement.

Avec un dernier sourire, la gentille infirmière sortit de la chambre. En l'espace d'un instant, le lit d'Allegra fut cerné par toute l'équipe féminine de hockey sur gazon. Les filles se pressaient, essoufflées et échevelées, dans leur uniforme composé d'un kilt écossais vert, d'un polo blanc et de grandes chaussettes vertes.

« Oh mon Dieu ! » « Est-ce que ça va ? » « Purée, la balle t'a défoncé la tête ! » « Cette garce de Northfield ne va pas s'en tirer comme ça ! » « T'en fais pas, elles se sont pris un carton rouge ! » « Oh mon Dieu, t'es carrément tombée raide ! On ne savait même pas si on pourrait te voir avant demain ! »

Ce joyeux brouhaha emplissait la chambre, et Allegra sourit largement.

– Tout va bien. J'ai eu des cookies ! Vous en voulez ? demanda-t-elle en désignant le plateau posé sur le rebord de la fenêtre.

Les filles tombèrent sur les biscuits comme une volée d'étourneaux.

– Au fait, vous ne m'avez pas dit ! On a gagné ?

– À ton avis ? On a assuré comme des bêtes, capitaine !

Birdie Belmont, la meilleure amie et coloc d'Allegra, mima un salut militaire qui aurait été plus convaincant si elle n'avait pas eu un énorme cookie dans la main droite.

Puis les filles prirent des airs de conspiratrices lorsqu'une voix masculine, venue de derrière le rideau qui divisait la pièce en deux, les interrompit.

– Dites donc, vous avez des gâteaux, là-bas ? Vous n'allez pas partager ?

L'équipe se mit à glousser.

– Ton voisin, chuchota Birdie. Je crois qu'il a faim.

– Pardon ? claironna Allegra.

Elle n'avait même pas encore remarqué qu'elle partageait sa chambre. Visiblement, elle s'était bien pris un gros coup sur la tête.

Rory Antonini, un milieu de terrain talentueux, détenteur du meilleur taux de buts de la ligue, tira sur le rideau. Son copain Bendix était couché sur un lit.

– Salut, Bendix ! s'écrièrent les filles en chœur.

Stephen Bendix Chase – Bendix pour les intimes – était le garçon le plus populaire de la promo. Ce n'était pas difficile de deviner pourquoi. Avec son mètre quatre-vingt-dix, il ressemblait à un jeune géant blond, aux épaules larges, puissamment bâti. Son visage évoquait celui d'un dieu grec : front droit, nez parfait, pommettes saillantes. Il avait une fossette à chaque joue, et ses yeux limpides, bleu myosotis, scintillaient d'espièglerie. Sa jambe droite était entièrement plâtrée. Il salua gaiement la compagnie.

– Quand est-ce que tu sors ? lui demanda Darcy Sedrik, la gardienne de but, en lui tendant l'assiette de biscuits presque vide.

– Aujourd'hui. On va enfin m'enlever mon plâtre. C'est pas trop tôt ! J'en ai marre des béquilles, répondit-il en la remerciant d'un hochement du menton. Et toi, qu'est-ce qui t'est arrivé ? enchaîna-t-il à l'intention d'Allegra.

– Juste une égratignure, dit-elle en imitant le chevalier noir dans *Sacré Graal*.

– Bah, au moins tu as toujours tes bras, rétorqua Bendix, amusé par cette référence aux Monty Python.

Allegra fit son possible pour lui cacher à quel point elle était charmée qu'il ait tout de suite compris l'allusion.

Elle ne voulait surtout pas ressembler à toutes les admiratrices qui lui faisaient les yeux doux, surtout maintenant que l'équipe de hockey au complet était passée de son côté pour signer son plâtre avec force petits cœurs, ronds sur les i et XOXO en tout genre.

– Les visites sont terminées pour aujourd'hui, je le crains, déclara Mrs Anderson qui était réapparue dans son uniforme impeccable.

Il y eut un chœur de « oh, nooon » tandis qu'elle les chassait gentiment de la chambre. Elle était sur le point de fermer le rideau qui séparait les deux patients lorsque Bendix lui demanda de le laisser ouvert.

– J'espère que ça ne te dérange pas, dit-il à Allegra. Je me sens un peu claustrophobe, dans mon coin. Et puis la télé est de ton côté !

Elle haussa les épaules.

– Non non, pas du tout.

Bendix et elle se connaissaient, bien sûr, car l'académie Stuart Endicott, de même que le lycée Duchesne, était une petite communauté où se serrait étroitement une jeunesse dorée et spectaculairement privilégiée. Toutefois, à la différence de toute la population féminine, Allegra ne se pâmait pas devant lui. Elle trouvait sa beauté un peu trop évidente, trop « star hollywoodienne », trop universellement admirée. Bendix ressemblait au sportif dans *The Breakfast Club*, en plus magnifique. Et Bendix n'était pas seulement beau, athlétique et adulé. Il se révélait aussi – ce qui était surprenant pour un jeune homme de son rang – gentil. Allegra remarquait que, loin d'être un snob arrogant arpentant les couloirs avec son ego gigantesque, Bendix était authentiquement sympa avec tout le monde, même avec son frère Charles, ce qui en disait long.

Et pourtant, même si le mec le plus sublime d'Endicott était couché à deux pas d'elle et regardait des clips en sa compagnie (mais bon sang, pourquoi diable Eddie Murphy s'était-il mis à la chanson ? Et qu'est-ce que c'était que ce tee-shirt à rayures ?), Allegra ne se souciait pas de lui.

DEUX

Les jumeaux Van Alen

Une fois arrivé de New York, le Dr Perry conclut qu'Allegra était entièrement rétablie, et elle réintégra sa chambre dès le lendemain. Elle se dépêchait d'aller en cours lorsqu'elle vit son frère venir à sa rencontre d'un pas décidé en coupant à travers la pelouse.

– Je suis venu dès que j'ai su, dit-il en la prenant doucement par le coude. Qui a fait ça ? Tu es sûre que tu vas bien ? Cordelia est aux cent coups...

Allegra leva les yeux au ciel. Son jumeau était tellement lourd, parfois ! Pas seulement parce qu'il insistait pour appeler leur mère par son prénom, mais aussi parce qu'il adorait sortir son numéro de grand frère protecteur. Alors qu'elle le dépassait de cinq bons centimètres !

– Je vais bien, Charlie, je t'assure.

Elle était consciente qu'il détestait ce surnom d'enfance, mais c'était plus fort qu'elle. Il était vraiment la dernière personne qu'elle avait envie de voir en ce moment.

À la différence d'Allegra, Charles Van Alen était petit pour son âge. Les jumeaux n'auraient pas pu être plus

55

différents : lui était très brun, avec des yeux froids et gris. Contrairement à ses pairs qui s'habillaient décontracté, il arborait un foulard de soie en cours et portait ses affaires dans un cartable en cuir. Il n'était pas très aimé à Endicott, pas tellement parce qu'il était prétentieux (et Dieu sait s'il l'était), mais surtout parce qu'il se plaignait constamment du lycée et faisait savoir à qui voulait l'entendre qu'il ne serait pas là si sa sœur n'avait pas insisté pour qu'ils changent d'établissement. La plupart des élèves le trouvaient pénible, pompeux et orgueilleux, et en retour il se comportait comme s'ils étaient tous inférieurs à lui.

Allegra comprenait que son manque de confiance en lui venait principalement de sa petite taille. Si seulement il avait pu se décoincer un peu ! Les médecins s'accordaient à dire que sa poussée de croissance se produirait sous peu et qu'il aurait beaucoup d'allure à l'avenir. Quant à son visage, il était juste un peu mal fichu pour l'instant, mais dans quelques années sa figure aurait rattrapé son nez, et ses traits – ces yeux intenses, ce front large – prendraient une symétrie souveraine. Pour le moment, Charlie Van Alen n'était qu'un petit gars mal dans sa peau, membre du club de débats.

Il s'était rendu à Washington pour la finale du concours d'éloquence pendant le week-end, et Allegra en avait été très soulagée. Sinon, elle savait qu'il aurait fait toute une histoire à la clinique, et qu'il aurait sans doute insisté pour qu'elle soit transférée dans un grand hôpital. Lorsqu'il était question de veiller sur elle, il était presque pire que Cordelia. Entre eux deux, elle se sentait comme une poupée de porcelaine : précieuse, fragile, incapable de s'occuper d'elle-même. Cela la rendait folle.

– Attends, laisse-moi t'aider... dit-il en prenant son sac.

– Je peux porter mon sac à dos, le coupa-t-elle d'un ton cassant. Lâche-moi. Tu es trop bizarre, parfois.

Elle s'efforça de ne pas culpabiliser en voyant l'expression peinée et choquée qui apparut sur ses traits.

Ce n'était pas une manière de parler à son partenaire de lien, mais c'était plus fort qu'elle. Car Charlie était Michel, bien sûr. Après ce qui s'était passé à Florence, il n'était pas question de revenir là-dessus : ils étaient nés jumeaux dans tous les cycles depuis. La Maison des Archives insistait sur cette pratique, afin que l'incident ne se reproduise plus jamais. Afin que dès le départ il n'y ait aucun doute, aucune question, et plus aucune erreur.

Pourtant, chacune de ces incarnations avait été pire que la précédente. Allegra n'aurait su mettre le doigt sur ce qui clochait, mais à mesure que les années passaient, elle avait commencé à sentir qu'elle s'éloignait de lui. Pas seulement à cause de ce qui s'était produit à l'époque – oh, à qui aurait-elle voulu faire croire cela ? –, mais c'était *entièrement* lié aux événements de Florence. Elle ne se le pardonnerait jamais. Jamais. Tout était de sa faute. Et le fait qu'il l'aimait encore – qu'il l'aimerait toujours, *pour toujours et à jamais*, pour les siècles des siècles – lui inspirait plus de contrariété que de reconnaissance. Son amour était un fardeau. Après ce qui s'était dressé entre eux, à chaque cycle elle était plus près de croire qu'elle ne méritait pas cet amour, et elle s'en voulait de lui en vouloir, ce qui ne faisait que nourrir sa colère. Elle ignorait pourquoi, elle avait de plus en plus de mal à éprouver pour lui ce qu'il éprouvait encore pour elle.

Quelle ironie. C'était *elle* qui s'était trompée, et pourtant c'était lui qui était puni. L'idée était déprimante, et par ce lumineux après-midi d'automne, elle se sentait plus distante que jamais.

– Non, attends, insista-t-il en attrapant la sangle du sac.

– Charlie, pitié ! cria-t-elle, et elle tira de toutes ses forces dans l'autre sens, si bien que le jeune homme glissa et tomba dans l'herbe.

Il la fusilla du regard en se relevant, et épousseta son pantalon.

– Qu'est-ce qui te prend ? cracha-t-il entre ses dents.

– Rien... Fous-moi la paix, tu veux ?

Exaspérée, elle passa les doigts dans ses longs cheveux blonds.

– Mais je... je...

JE SAIS. Tu m'aimes. Tu m'as toujours aimée. Tu m'aimeras TOU-JOURS. Je sais, Michel. Je te reçois cinq sur cinq.

– Gabrielle !

– Je m'appelle Allegra ! dit-elle presque en hurlant.

Pourquoi fallait-il qu'il l'appelle tout le temps ainsi ? Pourquoi fallait-il qu'il se comporte comme si personne ne remarquait son obsession pour elle ? Bien sûr, les autres sang-bleu ne s'en émouvaient pas, puisqu'ils savaient qui ils étaient même s'ils n'avaient pas encore fait leur *coming out* ;

58

mais les sang-rouge, eux, ignoraient tout de leur histoire et de ce qu'ils représentaient l'un pour l'autre, et cela l'ennuyait. On n'était plus chez les pharaons ; on était au xxe siècle. Les temps avaient changé. Et pourtant, le Conclave était toujours aussi lent à réagir.

Parfois, Allegra aurait voulu prendre la vie comme elle venait, sans porter le fardeau de toute leur histoire immortelle sur ses épaules. Elle n'avait que seize ans, du moins dans cette existence ! Elle aurait bien voulu souffler. En 1985, à Endicott, dans le Massachusetts, avoir un jumeau qui craquait pour vous, c'était tout simplement dégoûtant, répugnant ; et Allegra commençait à être d'accord avec les sang-rouge sur ce point.

– Ce type t'embête, Belles Gambettes ? demanda Bendix Chase qui avait soudain surgi à côté d'eux pendant la sonnerie.

– Cet individu vient de t'appeler Belles Gambettes ? s'étrangla Charles.

– Ça va, soupira Allegra. Bendix Chase, je ne crois pas que tu connaisses mon frère Charlie.

– En troisième ? s'enquit Bendix en lui serrant la main. Enchanté.

– Non. Nous sommes jumeaux, précisa Charles, glacial. Et je fais le séminaire Shakespeare avec toi.

– Vous êtes sûrs que vous êtes frère et sœur ? plaisanta Bendix avec un clin d'œil. Je ne vois aucune ressemblance.

Charles vira au rouge betterave.

– Évidemment que nous sommes sûrs. Bon, si vous

voulez bien m'excuser, dit-il en se détournant et en tirant Allegra vers lui.

– Hé, ho, pas besoin d'être malpoli, dit doucement Bendix. Tu as laissé tomber ton livre.

Il tendit à Charles un manuel qui lui avait glissé des mains lorsqu'il était tombé dans l'herbe. Le jumeau d'Allegra négligea de le remercier.

– Il a raison, Charlie, renchérit Allegra.

Elle s'éloigna de lui pour aller se tenir à côté de Bendix, qui passa un bras autour de ses épaules.

– Je crois que nous avons un contrôle de latin aujourd'hui, ma chère. Allons-y ?

Allegra laissa la star des terrains de sport l'emmener avec lui. Elle ne l'aurait jamais fait si Charles n'avait pas été si exaspérant. Ça lui ferait les pieds. Elle planta là son frère, qui continua de les fixer, tout seul sur la pelouse.

TROIS

La seule matière
dans laquelle les vampires soient nuls

Allegra était excellente élève, mais elle était nulle en latin. Elle avait beaucoup de mal à faire la différence entre l'idiome abâtardi qu'apprenaient les sang-rouge et la Langue Sacrée authentique, et du coup, elle n'arrêtait pas de se mélanger les pinceaux. Le latin avait des déclinaisons et comptait trois genres, ce qu'elle ne pouvait pas comprendre. Elle n'arrivait pas à séparer clairement la vraie langue des immortels de sa version humaine, quotidienne.

Elle contemplait le gros D rouge entouré d'un trait rageur en haut de sa copie. Zut. Si elle n'arrivait pas à avoir de bonnes notes, Cordelia la retirerait d'Endicott pour la renvoyer à Duchesne. Elle serait de retour à la case départ : prisonnière des grandes ambitions de sa mère concernant son avenir et ses futures contributions à la race. Sérieusement, Cordelia parlait parfois comme un démagogue de la Seconde Guerre mondiale. Enfin, Allegra n'était pas en cycle à l'époque, mais elle avait lu les rapports du Sanctuaire.

– Houlà, c'est moche, fit remarquer Bendix après avoir jeté un œil sur sa copie.

– Et toi ? lui demanda-t-elle en haussant les sourcils.

Il lui agita son A+ sous le nez avec un sourire supérieur.

Pff. Pourquoi fallait-il qu'il soit si parfait ? C'était irritant, à la fin. Allegra détestait, plus que tout au monde, le mot « parfait ». La seule chose qu'elle méprisait encore davantage, c'était les gens qui l'incarnaient. Elle exécrait qu'on lui dise qu'elle était parfaite, que les gens ne voient pas au-delà de son apparence, au-delà de ses vagues de cheveux blonds et brillants, de son joli bronzage et de ses proportions idéales. Pourquoi on accordait tant d'importance à des éléments aussi superficiels, voilà une chose qu'elle ne comprenait jamais. Elle, pour sa part, trouvait tout le monde beau, et pas simplement par une sorte d'angélisme gnan gnan, du genre « chacun est beau à l'intérieur ». Non. Allegra trouvait sincèrement la plupart des individus qu'elle rencontrait magnifiques à voir. Quelle importance s'ils avaient quelques kilos de trop ici ou là, le nez tordu ou un drôle de grain de beauté ? Elle adorait regarder les gens. Elle les trouvait magnifiques.

Finalement, elle ne valait pas mieux que Bendix, hein ? Elle était parfaite à regarder, et par-dessus le marché, elle aimait tout le monde. Parfois, elle se fatiguait d'être elle-même.

– Je peux t'aider en latin, si tu veux, lui proposa-t-il tandis qu'ils rassemblaient leurs affaires et commençaient à sortir de la classe.

– Tu me proposes des cours de soutien ?

Voilà qui était nouveau. Un sang-rouge se proposant pour enseigner de nouveaux tours à un vampire immortel ! Charlie aurait ricané. Allegra secoua négativement la tête.

– Ça va aller, merci. Il faut juste que je révise un peu mon vocabulaire.

– Comme tu veux. Mais comme tu es nouvelle ici, tu ignores peut-être que si tu n'as pas une bonne moyenne, tu peux dire adieu à l'équipe de hockey, et donc aux championnats de la ligue, dit Bendix en lui tenant la porte ouverte.

Ça, c'était un argument.

Pendant les semaines qui suivirent, Allegra retrouva Bendix en bibliothèque un soir sur deux pour travailler le latin. Ce qui avait commencé comme un effort sincère entre eux pour aider Allegra à apprendre la langue s'était lentement mué en longues discussions profondes sur tous les sujets possibles et imaginables : la qualité de la nourriture servie au réfectoire (atroce), leurs opinions sur la Palestine et le Moyen-Orient, la question de savoir si « Abracadabra » du Steve Miller Band était la pire ou la meilleure chanson jamais écrite (la meilleure pour Bendix, la pire pour Allegra).

Un soir, Bendix se pencha par-dessus le livre de latin et soupira. Sa frange blonde lui tombait dans les yeux, et Allegra réprima une envie de la balayer de son front.

– Tes parents viennent à la journée portes ouvertes la semaine prochaine ? lui demanda-t-il. Tu es de New York, c'est bien ça ?

Elle hocha et secoua la tête en même temps.

– Ma mère vient, bien sûr. Elle ne louperait ça pour rien au monde. Mon père... il est à l'étranger.

C'était le plus simple pour expliquer l'absence de Lawrence.

– Et toi ?

– Oh, non. Ma mère a une réunion de boulot, elle est obligée de rester à San Francisco. Et Papa, ce n'est pas son genre. Il ne voudrait pas s'interrompre dans son art.

– Ton père est artiste ?

– Il fait des sculptures avec des objets trouvés. Jusqu'ici, il n'en a pas vendu une seule, sans doute parce que ça ressemble à des tas d'ordures. Mais il ne faut pas le lui dire.

– On dirait que tu ne les aimes pas trop, tes parents, remarqua Allegra, compatissante.

Pour sa part, elle aimait beaucoup Lawrence comme Cordelia. Simplement, cela faisait des années qu'elle n'avait pas vu son père, et sa mère était devenue une vieillarde acariâtre.

– C'est ça, le truc. Je les aime bien mais ils n'ont jamais eu beaucoup de temps à me consacrer. Oups, je viens vraiment de dire ça ? Je déteste m'apitoyer sur mon sort.

Allegra sourit et ouvrit son manuel de latin.

– Si tu veux, je partage Cordelia avec toi. Elle adore que je lui présente mes amis. Mais je ne peux pas m'avancer pour Charlie.

– Qu'est-ce qu'il a contre moi, ton frère ? s'enquit Bendix d'un air inquiet. Je ne lui ai rien fait.

– Oh... bah... ça lui passera. (Allegra toussa.) Bon, bref. On se remet au latin ?

– Alors, vous sortez ensemble ou quoi ? la questionna Birdie lorsqu'elle regagna leur chambre commune ce soir-là, peu après minuit.

– Qui ça ? De quoi tu parles ? bredouilla Allegra qui rougit légèrement tout en rangeant ses livres.

Ils n'en étaient jamais venus aux déclinaisons, en fait. Ils avaient passé la soirée à comparer les mérites d'une enfance passée à San Francisco et à New York. Allegra, qui avait vécu toute sa vie à Manhattan, soutenait que « the City » était infiniment supérieure à tout point de vue – vie culturelle, musées, restaurants – tandis que Bendix défendait la beauté inhérente à sa ville, sa baie, son brouillard et ses mœurs libérées. Aucun des deux n'avait réussi à convaincre l'autre.

– Tu veux parler de Ben et moi ? demanda-t-elle à Birdie. Tu penses qu'on est en couple ?

– Ah, c'est « Ben », maintenant. Bientôt tu l'appelleras Benny, la taquina son amie tout en roulant une cigarette « qui fait rire ». C'était la dernière mode. Cela ne dérangeait pas Allegra, à part que l'odeur envahissait l'atmosphère et que Birdie avait tendance à pschitter trop de désodorisant, pour couvrir les effluves en cas d'inspection. Du coup, leur chambre sentait toujours un peu les petits coins.

Allegra fit la grimace.

– Meu non. Aucune chance. On est *amis*.

Sa coloc souffla un énorme rond de fumée.

– Arrête un peu, tout le monde voit bien comment vous êtes, ensemble.

– Quoi ? Tu plaisantes ?

– Et en plus, c'est ridicule à quel point vous êtes *parfaits* l'un pour l'autre, ajouta Birdie avec un grand sourire.

Elle avait entendu bien des fois les tirades d'Allegra contre le mot en « p ».

– Qu'est-ce qu'il ne faut pas entendre !

Allegra haussa les épaules. Elle n'aimait pas Ben de cette manière-là, c'était tout. Elle appréciait d'avoir quelqu'un avec qui discuter, et elle se sentait bien en sa compagnie. De toute manière, ils ne seraient jamais ensemble : elle ne pouvait pas avoir de sentiments pour lui, du moins pas ces sentiments-là. Birdie était une sang-rouge ; elle ne savait pas de quoi elle parlait.

– Sérieux ? Il y a quand même pire que de sortir avec lui. Ses parents viennent de vendre leur entreprise pour deux milliards de dollars, genre. Tu n'as pas lu les journaux aujourd'hui ?

Birdie lança le *Wall Street Journal* à Allegra. Celle-ci lut l'article en première page qui décrivait l'acquisition du groupe familial Bendix par Allied Corporation et s'émerveilla de l'humilité de Ben. Selon lui, sa mère avait une « réunion de boulot » qui l'empêchait de venir à la journée portes ouvertes... Plutôt un méga-conseil d'administration géant, oui !

– Ils sont sérieusement bourrés de fric. Pas étonnant qu'il

ait pris le nom de sa mère. C'est de ce côté-là qu'est toute la fortune.

– Birdie, ne sois pas vulgaire, s'agaça Allegra.

Même à Endicott, c'était mal vu d'en savoir trop sur les origines des autres. Mais depuis sa lecture du journal, elle ne pouvait s'empêcher d'apprécier Ben encore davantage. Pas parce qu'elle avait découvert qu'il était riche – elle ne s'était jamais trop intéressée à l'argent, même si elle n'en avait jamais manqué – mais parce que justement, malgré l'immense fortune de sa famille, il restait simple et discret.

Et elle avait eu l'impression, après lui avoir parlé ce soir-là, que Bendix Chase n'aurait pas détesté posséder un peu moins de ce qui intéressait trop les gens, si cela lui avait permis d'avoir un peu plus de ce qui comptait vraiment.

QUATRE

Le Cercle des poètes déjantés

P lus tard dans la semaine, Allegra dormait presque lorsqu'elle entendit un bruit à sa fenêtre. Elle cligna des paupières, désorientée. C'était un son clair et léger. Des graviers. Puis une cascade de rires étouffés. Elle s'approcha de la fenêtre et l'ouvrit.

– Qu'est-ce que c'est ? demanda-t-elle, légèrement contrariée.

Une troupe d'inconnus à capuche se tenait sous sa fenêtre. D'une voix menaçante, le plus grand déclama d'un ton funèbre :

– Allegra Van Alen, viens affronter ton avenir.

Ah, c'était ça ! Elle avait oublié, bien que Birdie l'eût prévenue la semaine précédente. C'était la soirée d'initiation. Le soir où la société secrète la plus prestigieuse d'Endicott, le Cercle des Péithologiens, cooptait ses nouveaux membres. Elle s'avisa que le lit de sa coloc était vide, ce qui indiquait que Birdie participait aux festivités. Car bien sûr, elle en faisait déjà partie.

– Je descends, cria Allegra.

Au même moment, un autre groupe d'élèves encapuchonnés pénétra dans sa chambre et lui couvrit la tête d'une cagoule. Elle était officiellement kidnappée.

Lorsqu'on lui retira sa cagoule, Allegra constata qu'elle se trouvait dans une clairière. Un feu de joie flambait, et elle était à genoux au milieu d'un groupe de nouveaux initiés.

Le chef des encapuchonnés lui présenta un calice doré, empli d'une libation rougeâtre.

– Abreuve-toi à la coupe du savoir, lui intima-t-il.

Leurs doigts se frôlèrent lorsqu'il lui donna la coupe, et Allegra réprima un éclat de rire en prenant une gorgée. Vodka et 7-Up. Pas mauvais.

– Tu as l'air fin dans cette grande robe ! chuchota-t-elle, car elle avait reconnu sa voix dès l'instant où il l'avait appelée à sa fenêtre.

– Chut ! répliqua Bendix en se retenant lui aussi de pouffer.

Elle passa la coupe à sa voisine, en se demandant qui d'autre avait été choisi. Lorsque tous les nouveaux membres eurent bu, Bendix leva le calice pour porter un toast.

– Ils ont goûté au Feu de l'Illumination ! Bienvenue parmi les Péithologiens, nouveaux Poètes et Aventuriers ! Dansons à présent dans les bois avec les nymphes de Bacchus !

Quelque part dans le fond, quelqu'un tapa sur un gong qui résonna parmi les arbres.

– Les nymphes de Bacchus ? répéta-t-elle, sceptique.

– Un truc grec... hasarda-t-il en haussant les épaules.

Les membres avaient baissé leurs capuches, mais la plupart portaient toujours leurs grandes robes. D'autres coupes en plastique furent remplies de vodka-7-Up et circulèrent dans le groupe.

– C'est ça qui se passe quand on devient un Péithologien ? s'enquit Allegra en contemplant la joyeuse troupe alcoolisée. On fait le mur et on danse autour d'un feu ?

– N'oublie pas les cocktails à deux balles, confirma Bendix. Très important.

– Et c'est tout ? C'est pour ça qu'on fait tant d'histoires ?

Elle éclata de rire. Les Péithologiens avaient une réputation éclatante et jalousement gardée dans le lycée.

– En gros, oui. Ah, et à chaque trimestre, on donne un bal. Les vêtements sont facultatifs, bien sûr.

– Bien sûr.

– Et tout à l'heure aura lieu le concours annuel de mauvaise poésie.

– Bref, il s'agit juste... de faire les andouilles ? redemanda Allegra, bien qu'elle connût déjà la réponse.

– Et alors ? Dans ton Comité, qu'est-ce que vous faites de tellement plus important ?

Il savait qu'elle était membre du Comité. Bien sûr, il y en avait un à Endicott, car l'établissement accueillait un important contingent de sang-bleu. Elle regarda les autres recrues et fut déçue de ne pas voir son frère parmi les visages animés. Elle savait bien que Charlie n'avait aucune chance d'être choisi, mais cela l'ennuyait quand même. Les Péithologiens étaient l'une des raisons pour lesquelles son jumeau haïssait tant ce lycée. À Endicott, personne n'avait une très haute opinion du Comité. Tout le monde voulait être un Péithologien.

– On fait plus ou moins la même chose... dit Allegra avec un haussement d'épaule.

– C'est bien ce que je pensais. Il faudrait vraiment remettre au goût du jour des trucs à l'ancienne. Tu sais. Les cercueils. Les meurtres. Les trafics d'influence. (Il agita les sourcils et prit une grosse goulée à son énorme coupe.) Tiens, voilà le Texas. Forsyth. Un mot ! Excuse-moi un instant, Allegra.

Il s'en alla discuter avec Forsyth Llewellyn, qui représentait le corps enseignant dans la société secrète.

Allegra leva son verre à l'intention de Forsyth, lequel lui adressa un bref hochement de tête. Il enseignait l'anglais aux troisièmes, et elle l'avait déjà croisé sur le campus. Elle se souvenait de lui, bien sûr. Jamais elle n'oublierait ceux qui avaient été en cycle à Florence.

La fête se poursuivit encore pendant une bonne heure, jusqu'au moment où Bendix éleva la voix.

– Excusez-moi, excusez-moi, ahum.

Les bavardages moururent, et il attendit d'avoir l'attention de tous.

– Le moment est venu de rendre hommage à notre auguste fondateur et de perpétuer sa parole.

Les membres vétérans levèrent leur verre vers le ciel et, d'une seule voix, récitèrent un poème intitulé « L'oiseau ». Par Killington Jones. « *Je pense n'avoir jamais entendu là-haut / Aussi joli chant que celui de l'oiseau / Avec son petit bec il chante son amour / Et il dort dans son nid jusqu'au lever du jour / Le Bon Dieu seul sait peindre les couleurs de l'aube / Mais même moi je suis cap' d'écrire de la daube.* »

– Bravo ! proclama joyeusement Bendix. Je déclare ouvert le concours de mauvaise poésie !

Allegra, amusée, écouta une succession d'apprentis poètes déclamer un flot de vers de mirliton, acclamés par les vivats de l'assistance. Bendix remporta tous les suffrages avec sa contribution : « La complainte du pêcheur de glace sur la banquise de sa chère vieille Norvège ». C'était tragiquement, comiquement calamiteux, et il gagna haut la main.

Lorsque ce fut terminé, il vint la rejoindre.

– Félicitations. T'es un marrant, toi ! dit-elle en lui donnant un coup de coude.

Il attrapa sa main et soutint son regard.

– Arrête, Ben... Lâche-moi...

Mais elle souriait. Le contact de cette main ferme sur la sienne lui plaisait.

Elle aimait bien Ben. Oui, c'était Ben, à présent ; Bendix était trop sérieux pour son caractère enjoué. Et cela ne la dérangeait pas qu'il l'appelle Belles Gambettes ; ça lui plaisait, même. C'était léger. Tout son contraire. Il voyait en elle un aspect que personne n'avait encore jamais deviné. Aux yeux des sang-bleu, elle serait toujours Gabrielle, la

73

Vertueuse, la Responsable, leur Souveraine, leur Mère, leur Salut. Mais pour Bendix Chase, elle n'était même pas Allegra Van Alen, elle était Belles Gambettes. À cette idée, elle se sentait jeune, téméraire et insouciante. Des qualités qui ne convenaient pas à Gabrielle.

Et en plus, il était trop, trop mignon !

– Viens par ici, lui murmura-t-elle en l'attirant à elle, agrippant cette robe absurde qu'il portait.

– Hm ?

Elle l'attira plus près encore, et lorsqu'il vit ce qu'elle voulait, son regard fondit. Jamais elle n'avait vu de si gentils yeux bleus. Il était si beau, ce garçon, le plus beau garçon de la Terre... et lorsqu'elle leva le visage vers lui, il se baissa de son côté, les bras autour de sa taille, pour la serrer contre lui.

Ce n'était qu'un baiser, mais elle savait déjà qu'il y en aurait d'autres.

– Tu as mis le temps à te décider, Belles Gambettes, murmura Ben.

– Mmm, confirma-t-elle.

Elle avait voulu aller lentement. Mais quel mal y avait-il ? Ce n'était qu'un humain. C'était un simple flirt ; au pire, il finirait par devenir son familier. Elle en avait eu beaucoup au cours de son existence immortelle.

Allegra rayonnait encore du baiser de Ben lorsque, en regagnant son dortoir, elle tomba sur son frère.

– Où étais-tu passée ? exigea de savoir Charles. Je te cher-

chais partout. Tu n'es pas venue à la réunion de Comité de
ce soir.

– Ah, c'était ce soir ? J'ai oublié. J'avais des choses à faire.

– Quoi ? Ne me dis pas que tu es devenue membre de
cette société idiote, la railla-t-il.

– Elle n'est pas idiote, Charlie. Enfin, bien sûr, ce sont des
bêtises, mais ce n'est pas idiot. Il y a une différence.

– Ce n'est qu'une triste imitation humaine du Comité.
Nous étions là les premiers.

Allegra haussa les épaules.

– Peut-être. Mais leurs fêtes sont bien plus réussies.

– Qu'est-ce qui te prend, à la fin ? l'implora Charles.

Un court instant, elle eut pitié de lui.

– Rien. Charlie. Je t'en prie. Pas ici.

Mais il ne renonçait pas si facilement.

– Allegra, il faut qu'on parle.

– Il n'y a rien à dire. De quoi veux-tu qu'on parle ?

– De Cordelia... elle vient à la journée portes ouvertes,
dimanche.

– Eh bien tu diras bonjour à ma mère pour moi.

Sur ces mots, Allegra disparut dans le dortoir. La nuit
avait été si prometteuse... Pendant un moment, là-bas, à
plaisanter avec les Péithologiens, à embrasser Bendix, elle
avait réussi à se prendre pour une fille de seize ans comme
les autres. Mais une seule conversation avec Charles avait
suffi à dissiper tous ses espoirs de s'amuser pour de vrai
dans cette vie.

CINQ

Le fils à maman

L a seule chose que Charles Van Alen aimait chez sa
mère – sa mère de cycle, pour être exact –, c'était que
Cordelia était la seule personne dans sa vie à ne pas l'affu-
bler de ce surnom ridicule.

– Charles, j'avais cru comprendre que ta sœur se join-
drait à nous aujourd'hui, dit-elle en lui versant du thé.

C'était la journée portes ouvertes et le campus était
désert, car les parrains de l'opération – les mêmes qui ver-
saient des frais de scolarité exorbitants – étaient venus voir
leur progéniture et l'emmener déjeuner dans les restaurants les plus prestigieux de la ville. Cordelia était arrivée
dans sa voiture avec chauffeur en début d'après-midi et
avait entraîné Charles tout droit dans le plus grand hôtel
des environs pour un thé et des petits gâteaux.

Il s'adossa dans son fauteuil inconfortable. Pourquoi les
femmes adoraient-elles tant cette pratique absurde ?

– Je lui ai laissé un mot l'autre soir pour le lui rappeler.
Mais ces derniers temps, elle est... préoccupée.

– Ah, vraiment ?

Cordelia pinça les lèvres. Elle était petite et frêle comme un oiseau, mais avait la langue bien pendue ; et même si son prestige au sein du Conclave n'était plus ce qu'il avait été, elle avait tout de même été jugée digne d'accueillir les jumeaux au cours de ce cycle.

– Dis-moi donc ce qui occupe tant notre Allegra.

Charles se renfrogna.

– Elle a un nouveau petit ami... dont elle pourrait bien faire son familier.

Jamais il n'aurait avoué se sentir jaloux d'un sang-rouge, mais il était presque à bout. D'abord, son indifférence glaciale. Et maintenant, ce dégoût palpable. Allegra s'éloignait de lui, et il ignorait pourquoi. Il souhaitait désespérément s'accrocher à elle. C'était son seul vœu.

Mais apparemment, Allegra voulait l'inverse. *Lâche-moi. Pas ici. Fous-moi la paix.* C'était tout ce qu'elle savait lui dire, en ce moment. Il ne le supportait pas. On aurait dit qu'elle le détestait. Pourquoi ? Que lui avait-il fait ? Rien d'autre que l'aimer. Il se refusait à avouer à Cordelia qu'il ignorait où elle passait le week-end, qu'il ne savait pas où elle était, et qu'il craignait de devoir s'abaisser à utiliser le *Glom* pour la retrouver. Allegra était son cœur, sa vie. Elle aurait dû venir à lui. Elle aurait dû rechercher sa compagnie. Et pourtant, non. Elle l'exprimait clairement.

– Ce n'est qu'une passade, le rassura Cordelia. Un simple désir de sang. Pas de quoi s'inquiéter. Tu devrais la laisser tranquille. Elle a eu la vie dure.

Charles savait à quoi sa mère faisait allusion : Gabrielle

avait besoin de temps pour guérir. Même si Florence n'était plus qu'un lointain souvenir, la douleur laissée par l'événement... la décision atroce qu'il avait prise – bien sûr, Lawrence était fautif, lui aussi –, tout cela persistait. Depuis presque cinq cents ans déjà. Redeviendrait-elle un jour comme avant ? Elle ne connaissait même pas toute la vérité.

– Plus tu l'étoufferas, plus elle se débattra. Mieux vaut la laisser prendre ses décisions elle-même. C'est toi qu'elle choisira.

– C'est différent, cette fois, répondit-il, dubitatif, en touillant son thé. Celui-ci, j'ai peur qu'elle... qu'elle l'aime pour de bon.

– Balivernes. C'est un humain. Il n'est rien. Tu le sais bien, soutint Cordelia. Elle s'amuse un peu, voilà tout. Elle te reviendra. Comme toujours. Fais-moi confiance, Charles. Tu dois laisser les choses se faire. N'interviens pas, cela ne ferait que vous éloigner encore davantage l'un de l'autre. Pour le moment, Allegra a besoin de sa liberté.

– J'espère que tu as raison, Mère, conclut Charles d'un air sombre. Je resterai dans l'ombre pour l'instant. Mais si tu te trompes, je ne te le pardonnerai jamais.

Six

Le baiser du familier

L es filles n'avaient pas le droit de se trouver dans les dortoirs des garçons passé une certaine heure, et Allegra dut se faufiler par l'escalier de secours. Elle n'eut aucun mal à sauter sur le rebord de la fenêtre pour frapper au carreau.

– Comment es-tu montée jusqu'ici ? s'enquit Bendix en l'aidant à entrer. Ce n'est pas facile de grimper par là.

Elle sourit. C'était un jeu d'enfant pour un vampire, mais évidemment, il ne pouvait pas le savoir. Elle observa sa chambre, qui semblait avoir été balayée par une tornade. Comme toutes les chambres de garçons.

– Où est ton coloc ?

– Je l'ai envoyé voir ailleurs si j'y suis. J'avais le pressentiment que tu viendrais me voir.

Il sourit, s'approcha de la chaîne hi-fi et mit de la musique. Pas du Grateful Dead ni du Van Morrison, Dieu merci. C'était Miles Davis. *Bitches Brew.*

Allegra s'assit sur son lit, soudain saisie d'un accès de timidité. Depuis un mois, ils s'étaient tellement embrassés qu'elle en avait souvent les lèvres meurtries comme un fruit trop mûr, mais cela ne l'empêchait pas d'appréhender un peu ce qu'elle était sur le point de faire. Si bien qu'au lieu de le regarder, elle examina ses étagères. Une reproduction était accrochée au mur. Pas un poster. Une lithographie.

– Tu aimes Basquiat ?

– Il est un peu surfait de nos jours, mais oui, j'aime bien.

– Je ne te savais pas collectionneur.

– Il faut croire que tu ne me connais pas si bien que ça...

Il prit place sur sa chaise de bureau. Il portait un maillot de crosse[1] blanc et un short, et ses cheveux étaient mouillés car il sortait de la douche.

– Qu'est-ce que tu fais tout là-bas ? lui demanda-t-elle en tapotant l'espace libre à côté d'elle.

Il vint s'y asseoir et ils se blottirent l'un contre l'autre ; elle l'attira si près qu'elle perçut sa merveilleuse odeur de garçon, de lessive et de savon, avec un soupçon d'aftershave.

– Salut, toi ! murmura Ben en se penchant sur elle.

Il retira son tee-shirt et le jeta dans un coin de la chambre. Il avait le torse large, dur au toucher, sculptural et bien dessiné. Avec un frisson, Allegra passa les mains sur sa peau.

Elle allait se dévêtir à son tour lorsqu'il l'arrêta. Il prit ses

_____

1. Sport d'équipe très prisé dans la haute société de Nouvelle-Angleterre.

mains et les repoussa avec douceur, et c'est avec les dents qu'il défit chacun des boutons de son pyjama. Elle rit en voyant son air déconfit lorsqu'il découvrit un caraco en dessous.

– Il y avait un piège ! constata-t-il.

– Je ne voulais pas que ce soit trop facile, tout de même.

– Mmm.

Il descendit les bretelles du caraco et posa la tête sur sa poitrine, et elle le tira vers elle pour poser la main sur la ceinture de son short. Elle l'embrassa dans le cou, sur la poitrine, et sentit toute la longueur de son corps se presser contre le sien. Alors, elle entoura sa taille de ses jambes.

Ils restèrent sans rien dire, puis Allegra chuchota :

– Il y a une chose que tu ne sais pas sur moi.

– Quoi ?

On y était. C'était le moment. C'était ce qu'elle était venue faire dans cette chambre. Elle lui releva le menton pour qu'il la voie bien en face. Puis elle découvrit ses crocs.

Il la considéra avec étonnement mais sans frayeur.

– Tu es un...

– Un vampire. Oui. Tu n'as pas peur ?

– Non. Je devrais peut-être, mais j'ai l'impression... de voir la vraie toi. Comme si je te voyais vraiment pour la première fois. Et tu es belle. Plus belle encore, si c'est possible.

– La première fois qu'un vampire boit du sang, il marque son humain comme son familier. Si je le fais, tu seras... à moi, lui expliqua-t-elle.

Seigneur, comme il lui faisait envie ! Elle flairait son sang sous sa peau, elle savait déjà qu'il serait délicieux et plein de vie, plein de sa force vitale unique. Elle voulait qu'il fasse partie d'elle, elle voulait être en lui, mêlée à lui. Elle le voulait, tout de suite.

– Belles Gambettes, tu me proposes qu'on se fréquente ? plaisanta-t-il.

– C'est plus que cela, dit-elle d'une voix douce. Tu serais à moi pour toute ta vie. Tu n'en aimerais plus jamais une autre.

Pourquoi lui révélait-elle tous les secrets du Baiser sacré ? *Allez, embrasse-le et n'en parlons plus.* Et pourtant, elle avait envie... envie de lui laisser une chance. Une chance de choisir son destin.

– Ça ne fera pas mal, précisa-t-elle.

– Oh, mais ça ne me déplairait pas. Fais-moi mal, Johnny Johnny Johnny, chantonna-t-il...

– Ce n'est pas une blague, Ben. Tu veux vraiment que je... ?

Il fit oui de la tête. Il avait choisi.

– Je suis prêt. Quoi qu'il m'arrive. Du moment que ça veut dire que je serai toujours avec toi.

Elle l'embrassa à la base du cou. Elle s'arrêta un instant et le taquina du bout de ses crocs, lui picotant la peau. Elle sentait monter l'excitation du garçon, et pile au bon moment, elle le mordit le plus fort possible. Il se crispa et la serra contre lui, les mains sur sa taille, leurs corps joints.

Elle but son sang.

C'était merveilleux, encore plus qu'elle ne l'avait imaginé. C'était sublime et elle vit tous ses souvenirs, apprit tous ses secrets – il n'en avait pas beaucoup, c'était un livre ouvert, empli de lumière et d'amour...

Alors, quelque chose d'affreux se produisit.

Tout allait mal. Le sang... qu'y avait-il dans son sang ? Seigneur, mais qu'est-ce que c'était ? Du poison ? Était-il déjà marqué par un autre vampire ? C'était impossible, elle n'avait vu aucun des signes, rien qui pût indiquer que...

Non. Ce n'était pas du poison.

C'était une vision surgie du *Glom*.

Elle vit...

Elle tenait un bébé, une petite fille, dans ses bras. C'était sa fille... Elle entraperçut son nom... Theodora ? Où avait-elle déjà entendu ce prénom ? Elle débordait de joie, de lumière, de bonheur... Elle n'avait jamais connu une telle euphorie, n'avait jamais été si pleine de vie, et à côté d'elle, en levant la tête, elle vit Ben qui lui tenait la main, un sourire aux lèvres, mais ensuite...

Il y avait une seconde image... Quelques années plus tard...

Elle reposait sur un lit d'hôpital. Elle était dans le coma, disait le médecin. Il n'y avait aucune chance de guérison. À côté d'elle, Charlie sanglotait. Ses cheveux noirs étaient semés de fils d'argent. Aucune chance de guérison ? Mais pourquoi ? Que s'était-il passé ? Que se passait-il ? Et où était Ben ?

Pourquoi était-elle sur ce lit d'hôpital ? Qu'avait-elle ? Était-elle morte ? Mais les vampires ne mouraient pas. Alors quoi... Que s'était-il passé ? Et cette angoisse terrible sur le visage de son frère... Elle ne l'avait jamais vu si malheureux.

Et où était son bébé ? Où était ce beau bébé aux cheveux noirs ?
Le bébé qui avait les cheveux noirs de Charles et les yeux bleus de
Ben. Où était sa magnifique petite fille ? Où était son mari ?

Que se passait-il ?

Que voyait-elle ?

Son avenir ?

Elle s'arracha à sa vision. Retour dans le dortoir des garçons, assise sur les genoux de son premier familier.

– Ne t'arrête pas...

Bendix la contemplait, rêveur, le regard brumeux. Il
subissait encore les effets soporifiques de la *Caerimonia
Osculor.*

– Pourquoi t'es-tu arrêtée ? demanda-t-il dans un souffle.

Puis il s'endormit.

Allegra se rhabilla et rassembla ses affaires. Qu'avait-elle
vu ? Que s'était-il passé à l'instant ? Tout ce qu'elle savait,
c'était qu'il fallait qu'elle se tire de là le plus vite possible.

SEPT

Maladie d'amour

Pendant deux semaines, Allegra refusa de sortir de son lit et de recevoir la moindre visite. Elle refusait de manger, refusait d'aller en cours, et rejetait toutes les supplications : celles de ses professeurs, de son conseiller d'orientation, de sa coloc, de ses camarades d'équipe. Le championnat de hockey passa sans qu'elle s'en mêlât (Endicott perdit 4 à 2). Elle ne voulait voir personne. Surtout pas Ben, qui lui avait envoyé des douzaines de roses et laissé des messages innombrables sur son répondeur. Elle passait tout son temps recroquevillée sous sa couette à fleurs, seule et désemparée. Elle n'avait aucune idée de ce qu'il lui arrivait. Tout ce qu'elle savait, c'est qu'elle ne pouvait pas affronter sa vie. Elle ne pouvait pas affronter Ben. Elle ne voulait penser à rien. Elle voulait seulement dormir. Ou rester allongée les yeux grand ouverts dans le noir.

Finalement, elle laissa entrer un visiteur dans sa chambre.

Charles s'assit dans le fauteuil papillon qui faisait face au lit et observa sa sœur d'un œil méfiant. Il garda le silence un long moment et remarqua ses cheveux collés, ses yeux cernés de noir, la teinte bleutée de ses lèvres, indice de déshydratation. Le *sangre azul* la maintenait en vie, mais à peine.

– C'est toi qui m'as fait ça, dit-elle d'une voix râpeuse. C'est ta faute.

C'était la seule explication. Seul Charles avait le pouvoir de faire une chose pareille. Il y avait forcément une raison à ce qui était arrivé. C'était lui, à coup sûr.

– Je ne vois pas du tout de quoi tu parles, dit-il en se penchant en avant. Allegra. Regarde-toi. Qu'est-ce qui t'arrive ?

– Tu as empoisonné son sang ! l'accusa-t-elle.

– Je n'ai rien fait de tel. Et si son sang était marqué, tu serais à l'hôpital, pas ici.

Il se leva et ouvrit les rideaux pour éclairer la chambre. Allegra se crispa, dérangée par la lumière soudaine.

– Alors, c'est ce qui s'est passé ? Tu as pris l'humain comme familier ?

Il serra les poings, et elle vit combien il lui en coûtait de prononcer ces mots.

– Jure-moi que tu n'as rien à voir avec tout cela, lui dit-elle. Promets-le moi.

Charles secoua la tête. Jamais elle ne l'avait vu aussi triste.

– Jamais je ne ferais de mal à quelqu'un que tu aimes, et jamais je ne me dresserais entre toi et ton... bonheur. Je regrette juste que tu aies une si basse opinion de moi.

Elle ferma les yeux et frissonna. Il disait la vérité. Et si Charles disait la vérité, alors elle devait faire face à la réalité. La vision avait été un avertissement.

– Qu'as-tu vu, Allegra ?

Elle se tourna vers le mur, dos à lui. Elle ne pouvait pas le lui dire. Pas question. C'était trop horrible.

– Qu'est-ce qui te fait si peur ? insista-t-il avec tendresse.

Il s'agenouilla à son chevet et joignit les mains.

Allegra ferma les yeux, et la vision terrifiante s'imposa de nouveau à elle. Elle savait, à présent, ce qu'elle signifiait. Dans le rêve, elle n'était pas morte. Elle dormait. Elle dormirait pendant des années. Une décennie et plus encore. Elle se flétrirait, dormirait, et sa fille grandirait sans mère. Sa fille grandirait seule, orpheline, nouvelle pupille sous la garde de Cordelia.

Quant à Ben... Qu'était-il devenu ? Pourquoi ne figurait-il pas dans sa seconde vision ? Car elle était certaine qu'il était le père de l'enfant. Le bébé avait ses gentils yeux bleus. Il était présent à la naissance. Allegra en était sûre, même si sa raison lui hurlait que c'était impossible. Elle mettrait leur enfant au monde. Une demi-sang. L'Abomination. Un péché contre le Code des Vampires. Un code qu'elle avait contribué à rédiger et à faire respecter. Les vampires n'avaient pas le don de créer la vie ; cette bénédiction était réservée aux enfants humains du Tout-Puissant. Et pourtant, c'était arrivé... mais comment ?

Quelque part, dans les profondeurs de son âme et de son sang, elle connaissait la réponse. Celle-ci était dissimulée quelque part dans son passé... dans une vie passée qu'elle ne supportait pas de se remémorer.

Qu'allait-il arriver à Ben ? Charles allait-il le tuer ? Où était-il ? Pourquoi était-il absent de la seconde vision ?

Elle n'avait jamais rien vu de tel. Elle n'avait pas le don de double vue, comme la Vigie.

Charles lui prit la main.

– Quoi que ce soit, quoi qu'il se soit passé, quoi que tu aies vu, il n'y a rien à craindre. Tu n'as rien à craindre de moi. Jamais. Tu le sais bien... murmura-t-il.

Elle soupira et ouvrit les yeux.

– Charlie...

– Charles.

Elle le regarda, avec ses yeux bleu-gris ombragés par son épaisse chevelure noire. Enfin, elle lui révéla ce qu'elle croyait, ce qu'elle ressentait depuis si longtemps et qu'elle avait gardé verrouillé en elle.

– Je ne mérite pas ton amour. Je ne le mérite plus. Plus depuis...

Il secoua lentement la tête.

– Bien sûr que si. Tu es à moi de toute éternité. Nous sommes faits l'un pour l'autre.

Il resserra son emprise sur sa main, mais c'était une force douce et non possessive.

Alors, Allegra comprit enfin. Il y avait un moyen de mettre fin à tout cela. De mettre fin à la spirale descendante qu'elle avait aperçue. D'empêcher l'avènement de cet avenir terrifiant. D'empêcher la mort de Bendix. Car, elle le savait, dans la seconde vision, il était mort. Elle devait empêcher la tragédie qui se produirait à coup sûr si elle continuait d'aimer son familier humain. Car c'était de l'amour qu'elle éprouvait pour Bendix, elle le savait à présent, elle avait reconnu ce sentiment pour ce qu'il était. Pas le simple désir de sang qui liait un vampire à son familier, mais l'amour. Son propre sang, le sang bleu immortel qui coulait dans ses veines, avait tenté de se cabrer contre ces sentiments. Il avait fait apparaître une vision de l'avenir pour lui montrer ce qui arriverait si cet amour persistait.

Son amour serait sa perte. Il serait la perte de tout. Il détruirait sa vie à lui, sa vie à elle, et laisserait leur enfant seule et sans défense dans le monde.

Elle n'était pas obligée d'aimer Bendix. Elle n'était pas obligée de se retrouver dans le coma, inutile. Sa fille – elle éprouvait une tristesse déchirante, comme si cet être pas encore né lui manquait déjà –, sa fille n'existerait jamais. Cela n'arriverait pas.

Il y avait une issue. Elle s'unirait à Charles. Elle prendrait la place qui lui revenait à ses côtés, elle serait sa Gabrielle une fois de plus. À ce moment précis, elle se résigna, elle accepta ce poids. Leur histoire, la sécurité de l'Assemblée, leur héritage ; elle était leur souveraine et leur salut. L'espace d'un instant, elle se sentit de nouveau elle-même. Elle avait fui en courant, si vite qu'elle en avait oublié cette vérité : nulle part dans l'univers, elle ne serait protégée de ce qu'elle avait à faire. Son devoir.

Elle décida sur-le-champ de ne jamais revoir Bendix. Pour

le protéger, pour se protéger elle-même, elle devait lui dire adieu. C'était terminé. Elle l'aimerait toujours, mais elle ne ferait pas un geste pour vivre cet amour. En temps voulu, elle oublierait. Elle avait l'éternité devant elle.

Charles lui tenait toujours la main.

Elle avait eu tort de négliger Charles, de le repousser, de se hérisser à son contact. Elle s'en rendait compte, à présent. Son amour éternel n'était pas un fardeau, c'était un cadeau. Elle était la maîtresse de son cœur. C'était une responsabilité qu'elle pouvait assumer. Elle veillerait à sa sécurité.

Elle lui toucha tendrement la joue. *Michel.*

C'était tout ce qu'elle avait à lui transmettre, et il comprit.

L'ANNEAU DE FEU

Florence
Décembre

Un

Bleu dragée

Theodora Van Alen ne s'était jamais imaginée en mariée. Ce n'en était que plus amusant de se trouver au centre de l'attention, dans la boutique élégante où elle s'était rendue ce matin-là. Au début, elle s'était sentie intimidée et pas à sa place dans l'ambiance feutrée du magasin au sol de marbre et à l'éclairage tamisé, mais les aimables vendeuses l'avaient rapidement mise à l'aise. Une fois informées de ce qu'elle cherchait, elle avaient tout fait pour l'aider. Car tout le monde aimait les mariages, et Florence était l'un des cadres les plus romantiques au monde pour des noces.

Ils n'étaient dans la ville que depuis quelques jours, mais Theodora savait déjà y trouver son chemin, en se repérant sur le dôme de marbre de la basilique et les arches du Ponte Vecchio. Elle avait l'impression d'être parachutée dans un décor de cinéma. Florence n'était pas seulement magnifique : c'était une ville cinématographique, avec ses amples panoramas pleins de majesté. Et comme on était en novembre, ses ruelles tortueuses étaient froides et dépourvues de touristes amateurs d'art, ce qui lui conférait une atmosphère mélancolique.

Toute la semaine, Jack avait été mystérieux et taciturne, et il s'était hâté de s'éclipser ce matin-là sans lui dire où il allait. Theodora le laissait garder ses secrets ; elle avait sa propre surprise à préparer. Leur cérémonie serait simple, à mille lieues du grand tralala de la cathédrale Saint-John le Divin où Mimi avait orchestré son union, à New York, mais Theodora éprouvait tout de même le besoin intense et incroyablement féminin de la rendre inoubliable. Elle ne pouvait pas s'unir sans une vraie robe de mariée. Ses comptes en banque étaient toujours inaccessibles – le Comité y avait veillé –, mais Jack ne regarderait pas à la dépense, elle le savait.

– Quel serait votre rêve ? Romantique ? Classique ? Bohème ? Sexy ? lui demanda la vendeuse en chef dans un italien impérieux en lorgnant sa tenue d'un œil critique, sans rien perdre de ses vieilles Converse, de son jean délavé et de sa chemise d'homme chiffonnée.

Sans attendre la réponse, la matrone claqua des doigts, et une armée d'employées fit défiler dans le salon d'habillage une succession de robes de mariée plus splendides et sophistiquées les unes que les autres.

Enfant, Theodora n'avait jamais eu de rêveries sucrées sur son mariage. Elle n'avait jamais joué à mettre en scène l'échange des serments avec une petite camarade pouffant de rire, jouant le rôle du garçon idéal. Le mariage exigeait des préparations compliquées et des plans grandioses.

C'était une journée qui promettait de transformer une fille ordinaire en princesse, or Theodora n'avait jamais particulièrement nourri d'ambitions princières.

Elle essaya la première robe, qui comprenait un corselet magnifiquement brodé et une traîne de trois mètres. En s'observant dans le miroir, elle se remémora toutes les cérémonies d'union de l'Upper East Side où l'avait traînée sa grand-mère. C'était toujours la même chose : des mariées coupant le gâteau dans leur exquis fourreau de dentelle, noyées dans des océans de tulle, des fiancés interchangeables, fringants et triomphants dans leur tenue de pingouin. La cérémonie en soi, elle s'en rendait soudain compte, n'était pas bien différente du rituel sang-rouge avec ses discours interminables, la lecture obligatoire de la première épître de saint Paul aux Corinthiens, (« L'amour est patient, l'amour est bon, les mariages sont barbants... »), les serments échangés, les alliances. Ensuite, si la famille était fidèle aux usages de l'Ancienne Assemblée, la réception était chic et de bon goût, et les élégants convives dansaient le charleston au son de l'orchestre Lester Lanin ; s'ils étaient plutôt Nouvelle Assemblée, la noce était extravagante et bling-bling, avec DJ célèbre, ambiance night-club et équipe télé filmant l'événement : strass et paillettes à volonté.

– Non, celle-ci est trop chichiteuse pour vous, *signorina*, trancha la vendeuse en lui jetant une autre robe dans les bras.

Celle-là était très sobre, simplement décolletée dans le dos, mais lorsqu'elle l'enfila, Theodora eut l'impression d'être quelqu'un d'autre. Et le jour de son union, elle tenait par-dessus tout à être elle-même... en un peu mieux.

Comme bien des jeunes filles, elle avait toujours pensé qu'elle se marierait, un jour, dans un futur lointain. Tout le monde le faisait, non ? Mais cela n'avait jamais pris la forme d'un désir, d'une intention ou d'un projet concret. D'abord, elle était bien trop jeune. Elle venait de fêter ses dix-sept ans. Mais cette union-là n'était pas ordinaire, et les temps étaient étranges. Et surtout, elle avait promis son cœur à un garçon extraordinaire.

Jack Force dépassait ses rêves les plus fous, et il valait bien mieux qu'un rêve ou un fantasme... parce qu'il était vrai. Il était loin d'être parfait, il pouvait se montrer bouder et distant ; son tempérament bien trempé et son impulsivité faisaient partie de sa nature ombrageuse. Mais elle l'aimait plus qu'elle ne le croyait possible. Il n'était peut-être pas parfait dans l'absolu, mais il l'était pour elle.

Theodora se laissa convaincre d'essayer encore un modèle, un fourreau bustier, avec un rang de boutons minuscules dans le dos. Tandis que des doigts habiles fermaient tous les crochets l'un après l'autre, elle repensa à la demande en mariage surprise de Jack. La demande en soi ne l'avait pas vraiment étonnée, mais sa soudaineté l'avait un peu prise de court. Cependant, elle comprenait l'urgence. Il ne leur restait que peu de temps à passer ensemble, et ce temps était précieux. Dans quelques jours, Jack rentrerait à New York pour affronter son destin, et elle ne le reverrait peut-être jamais. Elle s'efforçait de ne pas trop ruminer ses craintes, et de se concentrer au contraire sur le bref moment de bonheur auquel ils auraient droit avant d'être séparés.

Quant à la noce, ils avaient décidé de la cacher aux Pétruviens du monastère. Ils n'étaient pas sûrs de pouvoir se fier aux prêtres, et ce n'était pas un événement qu'ils avaient envie de partager avec des inconnus. Theodora n'avait qu'une vague idée de ce qu'avait prévu Jack. Il avait plus ou moins mentionné une vieille église dans un quartier éloigné du centre, une cérémonie aux chandelles. Elle n'en savait pas davantage, si ce n'est qu'il n'y aurait jamais meilleur endroit ni meilleur moment. C'était tout ce qu'ils avaient.

– *Bellissima !* roucoula toute l'escouade de vendeuses lorsque la jeune fille se présenta face au miroir.

La robe la moulait exactement aux bons endroits, et Theodora était éblouissante.

Pourtant, ce n'était pas encore tout à fait ça. Trop guindé. Elle secoua tristement la tête. Elle remercia et embrassa chacune des vendeuses, et sortit du magasin les mains vides.

Elle visita ensuite toute une série de boutiques sur la *plaza*, mais ne trouva rien qui lui convînt. Toutes les robes étaient trop chargées de perles et de fanfreluches, ou trop volumineuses, trop corsetées, trop décolletées. Elle voulait quelque chose de simple et de net, une tenue qui promît un nouveau départ mais évoquât aussi les délices de l'abandon à l'autre. Elle était sur le point de renoncer (Jack ne se soucierait pas trop de ce qu'elle porterait, pas vrai ? Elle pourrait trouver quelque chose dans sa garde-robe... peut-être sa robe d'été en coton blanc ?) lorsqu'elle tomba par hasard sur une échoppe cachée dans une ruelle sombre, du côté du Ponte Vecchio.

La vieille marchande lui sourit.

– Que puis-je faire pour vous, *signorina* ?

– Pourriez-vous me montrer ceci ? Sur l'étagère du haut, là ? demanda Theodora en désignant un rouleau de tissu qui avait attiré son regard dès l'instant où elle était entrée.

La femme opina de la tête et grimpa sur l'escabeau grinçant pour le lui descendre. Elle le posa sur le comptoir et le déroula lentement.

– C'est une rare soie vénitienne, fabriquée par des artisans venus de Côme selon la même technique depuis le XIIIe siècle, lui expliqua la marchande.

– Magnifique, souffla Theodora.

Elle la toucha avec révérence. C'était une soie fine, douce et souple, légère et aérienne au toucher. Elle s'était dit qu'elle porterait du blanc : elle n'était pas rebelle au point d'imaginer se marier dans une autre couleur. Pourtant, l'étoffe qu'elle avait choisie était d'un bleu extrêmement pâle. À l'œil nu, elle paraissait ivoire, mais à mieux y regarder on distinguait une touche de cobalt dans la lumière.

Hattie lui avait un peu appris à coudre, et aussitôt qu'elle avait vu le tissu, Theodora avait su que c'était ce qu'elle avait cherché toute la journée. Elle paya, le cœur battant, les joues rouges d'excitation en pensant à la tâche qui l'attendait. Lorsqu'elle regagna leurs pénates, Jack n'était pas encore rentré. Elle trouva du fil et une aiguille dans un tiroir et se mit au travail. D'abord, elle découpa un patron dans la mousseline : la robe dénuderait ses épaules, à la paysanne, puis draperait son corps et coulerait jusqu'au sol. C'était tout.

Point après point, elle cousit dans la robe tous ses vœux et tous ses rêves, noués par son sang et son amour. Elle éprouvait une allégresse et une impatience profondes. Une nouvelle fois, elle se demanda comment elle pouvait avoir autant de chance.

Lorsqu'elle eut terminé, ses doigts étaient meurtris et ses bras endoloris. La nuit était tombée, mais Jack n'était toujours pas rentré. Elle se dévêtit et essaya la robe. L'étoffe était comme de l'eau au toucher. Elle se tourna vers son reflet dans le miroir en frémissant d'appréhension, inquiète de ce qu'elle verrait. Et si elle avait mal choisi ? Si cela ne plaisait pas à Jack ? Si le tissu tombait mal ?

Non. Elle n'avait aucune inquiétude à avoir. La subtile teinte bleue faisait ressortir le brillant de ses yeux. La robe tombait joliment de ses épaules, et Theodora décida qu'elle garderait ses cheveux lâchés.

Pour la première fois, elle comprenait qu'elle allait réellement s'unir. Elle plaqua les mains sur sa bouche et tenta de cacher son sourire. Mais c'était trop : le bonheur bouillonnait en elle, et elle pirouetta devant la glace en riant.

Un bruit de pas l'arrêta dans son mouvement. Jack. Il était de retour. Vite, elle retira sa robe, la suspendit soigneusement au fond de son armoire et remit ses vieux vêtements.

Elle ne croyait pas aux légendes de bonne femme, mais elle ne voulait tout de même pas qu'il la vît dans sa robe avant la cérémonie. Peut-être était-elle un peu superstitieuse, après tout.

DEUX

Le cercle des ténèbres

I ls avaient beau n'être ensemble que depuis quelques mois, Theodora connaissait par cœur le bruit des pas de Jack, et quelque chose dans le piétinement qui approchait lui parut bizarre... comme si on essayait un peu trop d'imiter son fiancé. Immédiatement sur ses gardes, elle tira l'épée de sa mère de son fourreau caché et serra fermement la crosse sertie de pierres précieuses. Immobile à côté de la porte, elle attendit. Les pas s'arrêtèrent brusquement, et il ne resta que le silence. L'individu qui se tenait de l'autre côté du battant savait qu'elle avait compris sa ruse, elle le sentait. Elle ralentit son souffle et calma ses nerfs.

Lorsque la porte s'ouvrit, ses gonds plus que centenaires pivotèrent sans grincer, et Theodora comprit que l'intrus avait jeté un sort de silence dans la pièce. Personne ne l'entendrait crier à l'aide. Mais elle n'avait pas besoin d'aide. Elle savait se défendre. Quand la pointe d'une épée apparut dans l'embrasure, elle retint sa respiration et ne bougea pas la main, prête à l'attaque.

Un *Venator* tout de noir vêtu pénétra dans la pièce, en marchant sans un son sur le plancher brut. La croix noir et argent qui ornait son habit indiquait un homme de la comtesse, et Theodora fut absurdement soulagée qu'il ne soit pas issu de l'Assemblée new-yorkaise.

Elle leva son arme. La poursuite impitoyable des *Venator* avait fait de sa vie une succession de malheurs. Elle ne se sentait en sécurité nulle part, et cette occasion de se mesurer enfin à la menace, de combattre enfin l'ennemi invisible et inexorable, était stimulante.

L'homme en noir brandit son arme et Theodora parvint à parer son coup, même si l'ennemi avait une allonge bien supérieure. Un simple combat à l'épée ne tournerait pas en sa faveur. Elle se déplaça en rond dans la pièce, tout juste hors de portée de la lame de l'adversaire. Si elle se battait sur le terrain de l'homme, elle ne tarderait pas à être sa captive.

Le *Venator* attaqua de nouveau ; mais au lieu de croiser le fer, Theodora bondit en l'air et atterrit sur une des poutres qui traversaient le haut plafond cathédrale. Momentanément en sécurité, elle observa son assaillant. Il s'accroupit pour sauter à son tour, mais avant qu'il ait pu prendre son envol, Theodora frappa violemment les entretoises de la charpente. Les lourds madriers se brisèrent comme des allumettes, et la structure s'effondra sur le *Venator*. Theodora bondissait de poutre en poutre, débitant les traverses sur son passage, et les débris de bois tombaient en pluie sur le sol, leurs échardes volant dans toutes les directions.

Sans le *silentio*, ce saccage aurait provoqué un vacarme assez puissant pour réveiller toute la ville. Le toit fut ébranlé, mais tint bon. Pendant ce temps, le *Venator* avait réussi à grimper au sommet du tas de bois et se rapprochait dangereusement. Theodora fit volte-face et sapa la base du poteau le plus proche, qui bascula sur l'homme en noir.

Celui-ci leva la tête au moment où la poutre commençait à lui mordre l'épaule. Avec une rapidité surhumaine, il l'empêcha de l'écraser en plantant sa lame dans le bois lourd. C'était le moment ou jamais. Theodora fondit sur le *Venator* et, du pied gauche, broya ses mains fermées, les poussant contre la crosse de l'épée jusqu'à ce que celle-ci se brise net.

Elle tira sa propre lame et la pressa contre le cou de l'ennemi.

– Rends-toi ! exigea-t-elle.

Sa voix résonna dans la pièce. Elle avait brisé le sortilège en même temps que l'épée.

Le *Venator* se contenta de la toiser avec mépris.

– Tu peux m'embrocher, mais ce serait condamner ton ami.

Il leva la main et tourna sa paume de manière à révéler une pierre de vision suspendue à une chaînette. Dans la pierre, on voyait une image. Une image d'Oliver Hazard-Perry, ligoté, les yeux bandés.

Theodora eut un haut-le-corps.

– C'est une ruse. Oliver est à New York... balbutia-t-elle sans relâcher la pression de son épée sur le cou de l'homme.

– Il est arrivé en Italie il y a une demi-heure. Nous l'avons cueilli à l'aéroport.

– Mais que viendrait-il faire ici ? À moins...

Là, elle comprit : les courses mystérieuses de Jack. L'autre soir, lorsqu'il lui avait demandé ce qui lui ferait le plus plaisir pour leur union, elle avait répondu que son seul désir aurait été d'être avec ses amis pour le jour le plus important de sa vie. Elle savait que c'était impossible et que c'était idiot de souhaiter ce qu'elle ne pouvait avoir. Oliver travaillait au Sanctuaire, à New York, et qui savait où était partie Bliss ? Mais Jack avait rendu cela possible. Son amoureux avait invité ses amis à leur union.

Son cœur fondit un peu, mais le bonheur de découvrir les secrets de Jack devrait attendre. Oliver était retenu en otage. Son bon ami, son doux ami... sa gorge se serra lorsqu'elle pensa à sa générosité. Il était arrivé en invité, et s'était retrouvé victime.

Theodora n'avait toujours pas bougé son épée.

– Que voulez-vous en échange de sa vie ?

Le Chercheur de Vérité sourit.

– Je savais que tu serais raisonnable. Cela aurait pu se faire sans tout ce ramdam.

Il tira de sa poche un sachet de velours et en sortit un anneau de métal blanc.

– Donne ceci à Abbadon, exigea-t-il.

Puis il ajouta à son oreille :

– Veille à ce qu'il le porte en permanence.

– Quel est son effet ? demanda Theodora, les yeux rivés sur la bague.

– Le sortilège l'empêchera d'exprimer sa vraie nature. Lorsque nous nous reverrons, il sera incapable de nous vaincre, et vous serez tous les deux à notre merci. Ton amour pour Abbadon est fondu dans l'anneau. Tant que cet amour existera, la bague neutralisera sa puissance.

Cette idée la révulsa. L'anneau avait le pouvoir de transformer en contrainte la part la plus profonde, la plus importante de son âme. De limiter Jack. Ils comptaient exploiter l'amour qu'elle lui portait pour le prendre au piège.

– Non. Je ne peux pas. C'est hors de question.

– Tu feras ce qu'on te dit, ou je veillerai personnellement à ce que ton ami non seulement périsse, mais que sa mort soit lente et douloureuse. Si tu dis la vérité à Abbadon, si tu cherches de l'aide, le garçon mourra immédiatement. Prends la pierre de vision et porte-la à ton cou. Elle nous permettra de voir ce que tu vois et d'entendre ce que tu dis, même dans le *Glom*. Donne l'anneau à Abbadon. Ou sacrifie ton ami. Nous te surveillerons.

Puis, d'une brève formule, le *Venator* remit la pièce en état.

Trois

Retrouvailles

L'homme en noir disparut par la fenêtre et, au même instant, la porte se rouvrit. Cette fois, c'était Jack. Theodora fourra en hâte l'anneau dans le sachet de velours, mais accrocha la pierre de vision à son cou comme le lui avait ordonné le Venator.

Le beau visage de Jack était soucieux, et il s'assit sur le lit pour retirer ses bottes avec un profond soupir.

– Qu'est-ce qu'il y a ? s'enquit Theodora en s'agenouillant dans son dos pour lui masser les épaules.

Ses muscles étaient durs et noués, et elle les pétrit de son mieux.

– Les *Venator* de la comtesse ne vont pas tarder à arriver. Je crains que les Pétruviens ne nous aient trahis.

– Ghedi ? demanda-t-elle d'une voix tendue.

– Non. C'est un ami. C'est lui qui m'a averti. Mais notre union ne peut pas attendre samedi. Il nous faut partir dès que possible. Ils vont nous tomber dessus si nous ne bougeons pas.

Si seulement elle avait pu lui dire que les *Venator* les avaient déjà débusqués !

– Je suis désolé, ajouta-t-il en se tournant vers elle, lisant la détresse sur ses traits. Je sais que ce n'est pas le genre de nouvelle que l'on a envie d'entendre juste avant son union.

– Non, non... ce n'est pas ça...

Elle aurait voulu tout lui révéler, mais elle n'avait pas le choix. Il lui fallait suivre les ordres du *Venator*. Sinon, Oliver mourrait. Elle sortit le sachet de sa poche et, comme dans un rêve, le présenta à Jack.

– Qu'est-ce que c'est ?

Elle avait les mains tremblantes.

– Je voulais attendre pour te donner ceci le jour de notre union, mais puisque le temps presse... Veux-tu bien la porter pour moi, dès maintenant ?

En réponse, Jack lui tendit sa main avec un grand sourire, et elle passa l'anneau à son doigt. Elle murmura les mots que le *Venator* lui avait dit de prononcer.

– Cette bague est le symbole de ma fidélité, elle te lie à moi, et mon amour te retiendra à jamais.

Voilà. C'était fait.

Elle garda la main dans la sienne pendant un long moment, et, du bout de l'index, traça deux cercles sous sa paume. Ce geste faisait partie du code qu'ils avaient mis au point alors qu'ils étaient sous la « protection » de la comtesse. Les deux cercles signifiaient qu'ils étaient surveillés. Ils avaient inventé ces signes secrets afin de pouvoir communiquer et planifier leur évasion sous la garde des *Venator*.

Jack regarda l'anneau à son doigt, mais son visage ne trahit rien. Comprenait-il ce qu'elle venait de lui dire ? Se souvenait-il de leur code ? Il le fallait.

La vie d'Oliver en dépendait.

Un coup frappé à la porte les interrompit.

– Jack ? Theodora ? Vous avez de la visite, les informa Ghedi.

Ils échangèrent un coup d'œil inquiet. Theodora rassembla ses forces : les Chercheurs de Vérité étaient-ils déjà de retour ? Mais lorsque la porte s'ouvrit, elle se leva d'un bond pour accueillir la nouvelle arrivante.

– Bliss !

– Theo !

Bliss Llewellyn fit irruption dans la pièce, dans un tourbillon de boucles cuivrées. Elle se déplaçait avec une énergie nouvelle, et Theodora se réjouit de voir son amie, sa sœur, si en forme : ses joues étaient colorées et ses yeux verts étincelaient de vie. Elle avait quelque chose de changé : ses bras ne portaient plus les signes révélateurs du *sangre azul*. Theodora ignorait ce qui était arrivé à Bliss, elle savait uniquement que celle-ci avait surmonté les ténèbres qui avaient tenté de l'engloutir. Bliss avait refait surface, plus vivante que jamais ; et rien que pour cela, Theodora remerciait le destin.

Elle la serra dans ses bras.

– Tu es là !

Bliss sourit largement.

– Bien sûr. Quand Jack m'a dit que vous alliez vous unir, comment aurais-je pu ne pas venir ? Je sais que ça devait être une surprise, Jack, mais je suis désolée, je ne pouvais pas attendre. J'ai de terribles nouvelles.

– Quoi ? Que s'est-il passé ? demanda Theodora bien qu'elle se doutât déjà de la réponse.

Bliss croisa les bras.

– J'ai quitté Oliver à la douane, on devait se retrouver au retrait des bagages et prendre un taxi ensemble pour rejoindre notre hôtel. Je l'ai attendu, attendu, il n'est jamais venu. J'ai regardé autour de moi et j'ai eu l'impression d'être observée. Des *Venator*, à première vue. Il y en avait partout. J'ai réussi à filer en douce, mais je crois qu'ils tiennent Oliver.

Bliss expliqua que Jane Murray et elle étaient à Chicago quand Jack les avait appelées. Comme elle ne devait s'absenter que quelques jours, elle avait laissé la Vigie sur la piste des Chiens de l'Enfer qu'elles traquaient ensemble.

– Tu as une idée de la raison pour laquelle ils voudraient l'enlever ?

– C'est l'Assemblée européenne, lui expliqua Theodora. La comtesse veut notre mort. Elle est restée fidèle à son frère, Lucifer.

Bliss indiqua d'un hochement de tête qu'elle comprenait. La menace de l'Étoile du matin n'était jamais très loin d'eux, elle était bien placée pour le savoir.

– Theodora, peux-tu trouver Oliver dans le *Glom* ? Il faut qu'on voie où il est retenu prisonnier, et tu portes son sang en toi. Tu devrais le localiser plus vite que moi, dit Jack.

Elle ferma les yeux. Jack avait certainement raison, mais elle avait le sentiment que c'était un guet-apens. Les *Venator* *voulaient* qu'ils trouvent Oliver. Jack et elle étaient manipulés comme des marionnettes, mais quoi qu'il en soit, elle n'avait pas le choix. Elle ne pouvait pas raconter à Jack ce qui venait de se passer, lui parler du danger enfermé dans l'anneau qu'il portait à son doigt. Elle ne pouvait que lui faire confiance pour se rappeler le sens de son signal et trouver le moyen de berner les *Venator*. Ce ne serait pas la première fois, après tout.

Elle tourna son âme vers le monde des esprits, à la recherche de son ami et ancien familier. *Ollie... Où es-tu ? Tu m'entends ?* Pas question que le moindre mal lui soit fait, pas à Oliver, ni à Bliss, ses chers amis qui étaient venus jusqu'en Italie dans le seul but de célébrer son union. Quoi qu'il arrive, Theodora se jura de les préserver du mal.

Oliver ?

Je suis là.

Tu vas bien ?

Pour l'instant. Où es-tu ?

J'arrive.

Elle rouvrit les yeux.

– Ils le retiennent à la villa Malavolta, l'ancienne villa Feri. Dans la tour.

– J'y vais, déclara Jack en enfilant sa veste.

– Pas tout seul. On vient avec toi.

– Tu auras besoin de nous, renchérit Bliss. Même si je ne suis plus qu'une simple mortelle. (Elle balaya leurs questions d'un geste.) Je vous expliquerai tout ça plus tard. C'est une longue histoire.

Jack pivota vers Theodora.

– Je ne peux pas prendre un tel risque.

Je ne peux pas prendre le risque de te perdre.

– Jack...

Elle lui saisit la main et regarda de nouveau la bague traîtresse qu'il avait au doigt.

– Je suis déjà en danger, mon amour, et tu ne peux pas me protéger à chaque instant. Je sais me protéger moi-même.

Et il faut que je te protège, toi, pensa-t-elle. Mais elle ne pouvait rien lui dire, ni en pensée ni en parole, sous peine d'être entendue par les *Venator*.

QUATRE

Le seigneur des abîmes

J ack voyait bien qu'il ne pourrait pas dissuader Theodora de venir à la rescousse. Il était soulagé que Bliss soit avec elle : cela lui serait bien utile d'avoir une amie pour combattre à ses côtés. Mais rien de grave n'arriverait, bien sûr : il y veillerait.

Il montra le plafond du doigt.

– Ils sont juste au-dessus de nous.

Tous trois avaient parcouru à toute vitesse les anciens tunnels qui se déployaient sous la ville, jusqu'à l'intersection de la *Via* del Podestà et de la *Via* Bernardo Martellini. Le dédale creusé sous Florence était identique à celui de Lutèce, et Jack avait négocié ses virages et ses méandres avec aisance. L'édifice appartenait à la même famille sang-bleu depuis le début du XVe siècle, une famille étroitement liée à celle des Médicis, mais il avait récemment été vendu à un acquéreur anonyme. Contrairement à la plupart des bâtiments florentins, la villa disposait d'un sous-sol. Les galeries souterraines débouchaient directement dans ce sous-sol, et les trois amis y étaient arrivés en quelques instants.

Ils se trouvaient à présent sous la pièce où Oliver était retenu prisonnier. Dans le monde physique, il n'existait aucun moyen d'y pénétrer sans enfoncer la porte de l'étage. Dans le *Glom*, en revanche, ces barrières n'existaient pas. Une fois dans le monde crépusculaire, Jack se retrouverait dans le même espace que les *Venator*. Il pourrait les attaquer sans même entrer dans la pièce.

– J'ai l'impression qu'ils sont des centaines, là-haut, fit observer Theodora.

Jack opina de la tête. Le plan était parfait. Sous sa forme d'ange Abbadon, il les soumettrait dans le *Glom* pendant que Theodora et Bliss iraient chercher Oliver dans le monde physique.

– Jack... dit Theodora en se mordant la lèvre. Sois prudent.

Il lui pressa l'épaule.

– Ne t'en fais pas. Je reviens tout de suite.

Jack Force s'avança dans le *Glom*. Theodora avait raison : lui aussi avait perçu la présence de plus de cent *Venator* gardant l'ancien Intermédiaire dans le monde physique. Pourtant, seuls trois Chercheurs de Vérité étaient postés dans le *Glom*.

Bizarre que ses ennemis aient choisi de rassembler presque toutes leurs forces dans l'univers tangible. Ils n'ignoraient sûrement pas qu'Abbadon frapperait d'abord dans le monde crépusculaire. Ce qui indiquait qu'ils ne craignaient pas sa puissance dans le *Glom*. Pourquoi ?

Jack fléchit les genoux et serra les poings.

Le premier *Venator* se rua sur lui en brandissant une épée noire. Jack arrêta son geste en saisissant son poignet et en retournant la lame contre l'agresseur. Mettant à profit l'élan de l'ennemi, il plongea l'épée dans son genou, déchirant la chair et déchiquetant l'articulation. Le *Venator* roula sur le côté, fou de douleur, et tomba lentement du *Glom*. Entre-temps, les deux autres s'étaient étroitement rapprochés de Jack.

Cette fois, ils attaquèrent à l'unisson, l'un par devant, l'autre par derrière. Jack, anticipant leur attaque, bondit en arrière et s'écrasa contre la poitrine de l'ennemi qui avançait dans son dos. Ce mouvement était inattendu, et l'homme fut déséquilibré avant d'avoir dégainé son épée. Il tituba et tomba, sonné.

Le bond inattendu de Jack lui permit un instant d'échapper au troisième ennemi, et il en profita pour voler son épée au *Venator* tombé au sol avant qu'il ait totalement disparu du *Glom*. Il fit décrire à la pointe un arc de cercle serré, soupesant l'arme, évaluant son équilibre et sa force internes.

Il la fit passer dans son autre main et traça une ligne imaginaire à quelques centimètres du torse du dernier *Venator*.

– Vas-y, appelle tes camarades. Ils ont fait preuve d'arrogance en n'envoyant que trois hommes tandis qu'une centaine attendaient en renfort. Appelle-les tous, si tu penses avoir une chance de me vaincre ce soir.

Jack soutint sans ciller le regard de l'homme. Il attendit que celui-ci eût disparu du *Glom* avant de baisser son arme.

Mordraient-ils à l'hameçon ? Le plan ne fonctionnerait que si Jack pouvait tous les attirer dans le *Glom* et les éloigner de la pièce où se trouvait Oliver.

Jack attendit dans le vide du *Glom*, tendu et seul. Prêt à bondir, il passait d'un pied sur l'autre, l'épée toujours en mouvement. Où étaient-ils passés ?

Enfin, le premier *Venator* réapparut dans le monde des esprits.

Jack leva son épée, et poursuivit son geste à mesure que de plus en plus d'hommes surgissaient. Il avait mal calculé. Ils étaient bien plus de cent. Leur nombre était étourdissant. Presque tous les *Venator* au service de l'Assemblée européenne devaient être réunis. La comtesse tenait énormément à sa revanche, voilà qui était clair.

Jack était cerné. Il fit la seule chose possible : il baissa son arme. Elle était inutile face à un groupe de cette taille. L'armée des *Venator* se resserra autour de lui. Les visages étaient calmes. Aucune trace de peur. Ils étaient innombrables, et leur force immense.

– Rends-toi, Abbadon ! Ta défaite est inévitable.

Ces paroles émanaient d'un vampire que Jack ne reconnut pas. Ce commandant n'était qu'un simple fantassin à l'époque où Jack avait mené l'armée céleste, il y avait bien longtemps de cela.

Et en même temps, cela paraissait trop facile. Il entreprit la transformation dans sa forme véritable, appelant l'esprit immortel abrité dans son sang depuis les temps immémo-

118

riaux. Abbadon, l'Improbable. L'Ange de l'Apocalypse. Destructeur des Mondes.

Et là, rien ne se passa. Pas d'ailes noires surgissant dans son dos, pas de cornes poussant sur son front : il était privé de la force du million de démons qui couraient dans ses veines. Il n'était que Jack Force. Un garçon de dix-huit ans comme les autres.

Ah.

C'était donc ça, l'idée.

Il avait pressenti quelque chose de ce genre lorsque Theodora avait tracé ces deux cercles dans sa paume. Il avait vu ses mains trembler lorsqu'elle lui avait passé la bague au doigt. L'ennemi leur avait jeté un sort pour limiter ses pouvoirs. Pour l'empêcher de se transformer en Abbadon. Ligoté par l'amour qu'elle éprouvait pour lui. Il avait remarqué la pierre qu'elle portait au cou, cachée sous forme de bijou. Ils surveillaient, ils attendaient. C'était donc à *cela* qu'ils avaient voulu l'amener. Ils voulaient le voir faible et vulnérable, privé de son pouvoir immortel.

– Quelque chose ne va pas, Abbadon ? ricana le *Venator*. Où est passée ta puissance ?

Jack soupira.

– Tu crois vraiment que la force brutale est ma seule arme ? Qu'après des siècles de pouvoir au plus haut des Cieux, je n'ai d'autre ressource que mon épée ?

Le *Venator* était toujours narquois.

– Et quel autre pouvoir pourrait-il bien te rester ? À partir d'aujourd'hui, on t'appellera Abbadon le Faible.

En réponse, Jack proféra une petite incantation, une prière que lui seul pouvait composer. Le *Glom* s'assombrit considérablement, et de la noirceur fatale s'élevèrent les créatures du Monde des Abîmes, les éléments de base du Feu Noir qu'il commandait en tant que Premier Né, Ange des Ténèbres, capitaine des âmes égarées et atrophiées des Enfers.

Abbadon était peut-être enchaîné, mais Jack conservait son âme, et les créatures primales s'inclinèrent devant leur maître. Il poussa un rugissement et entraîna son armée noire dans la bataille. Quelle ironie : il avait fallu qu'on le dépouille de son pouvoir de transformation pour qu'il se souvînt de l'ampleur des ténèbres qui l'avaient façonné. Il y avait trop longtemps qu'il n'avait pas fait appel aux pouvoirs des Abîmes, qu'il ne s'était pas abreuvé à la force profonde et cachée du monde souterrain où il avait été conçu et son nom forgé par le feu et la mort.

Les sombres créatures dominaient les *Venator* en force et en nombre. Jack eut pitié des Chercheurs de Vérité, jusqu'au moment où il repensa au visage anxieux de Theodora, plus tôt dans la soirée. La comtesse avait apporté la mort et le sang dans leur union. On n'y pouvait plus rien. Tout ce qu'il espérait, c'était que Theo avait pu mener à bien sa partie du plan, que ses amis et elle étaient en sécurité.

Jack baissa les yeux sur la bande d'acier gris qui ceignait son doigt, terne et ordinaire alors même que sa magie noire luisait de trahison farouche.

CINQ

À la rescousse

Theodora frissonna lorsque Jack disparut dans le Glom. Là-bas, il serait vulnérable, exactement comme l'avaient voulu les Venator. Que lui arriverait-il ? Elle devait se persuader qu'il s'en sortirait. Qu'il saurait se défendre, et qu'il avait compris ce qu'elle ne pouvait lui dire.

Avant leur départ, Jack lui avait demandé de croire en lui et de suivre leur plan. Il attirerait tous les *Venator* dans le *Glom* et s'occuperait d'eux pendant que Bliss et elle libéreraient Oliver. Jack avait été très clair sur un point : quoi qu'il arrive, elle devrait lui faire confiance. Même s'il se passait une chose qu'elle ne comprenait pas. Il lui avait demandé de le promettre, et elle avait accepté.

– Prête ? demanda-t-elle en levant la tête vers le plafond.

– Tu es sûre que tu peux faire ça ? murmura Bliss, dubitative, en regardant les planches épaisses.

Theodora repensa à son autre rencontre avec le *Venator*. Elle n'avait pas eu conscience de toute la force de son épée avant d'avoir presque entièrement saccagé la charpente sans même verser une goutte de sueur.

– Oui, je crois que je peux faire un petit trou là-dedans.

Elle sourit en levant son épée vers le plafond, au-dessus de leurs têtes.

La lame dégagea une ouverture. Theodora y bondit et se pencha vers le bas pour regarder Bliss.

– Tu viens ?

Bliss fronça les sourcils ; Theodora oubliait que son amie n'avait plus les pouvoirs auxquels elle était habituée.

– Pardon, dit-elle en tendant le bras par le trou pour hisser Bliss dans la pièce.

Elles se retrouvèrent face à un océan de visages impassibles. Theodora croisa le regard inexpressif du *Venator* le plus proche : il paraissait en transe. Les battements de son cœur s'accélérèrent. Le plan de Jack fonctionnait. Il avait attiré les *Venator* dans le *Glom*. Maintenant, c'était à elle de passer à l'action.

– Séparons-nous pour vérifier qu'ils sont bien tous partis, dit-elle.

Elles s'avancèrent dans la foule catatonique. Lorsque quelqu'un était dans le *Glom*, son corps demeurait sans force et sans mouvement dans le monde physique. Elle regarda chacun des *Venator* dans les yeux en passant devant, et vit Bliss faire de même. L'armée était sans défense. *Sans défense uniquement s'ils sont bien tous dans le* Glom, se dit-elle. Elle était trop maligne pour croire que tous les Chercheurs de Vérité resteraient sans protection. Il devait y en avoir un qui simulait, qui faisait le mort. Elle devait absolument le trouver avant que ce ne soit lui qui la trouve.

122

– Ummghh.

Le bruit résonna dans le silence. C'était forcément Oliver. Il était quelque part dans le fond, caché par la masse des corps. Theodora et Bliss foncèrent vers lui depuis les deux côtés de la salle. Theodora jouait des coudes et poussait durement les *Venator* somnolents qui avaient pris son ami en otage et menaçaient sa vie.

Elle trouva Oliver bâillonné et ligoté à un fauteuil ancien.

Bliss arriva au même moment. Regardant par-dessus son épaule, elle dit :

– Je crois qu'ils sont tous dans le gaz, Theo.

Prudemment, elle poussa l'épaule d'un *Venator* en regardant au fond de ses yeux morts.

– Continue de chercher, nous ne sommes pas seules. J'en suis certaine.

Elle arracha le bâillon de la bouche d'Oliver.

Celui-ci toussa et inspira profondément avant de relever la tête.

– Merci, dit-il à voix basse.

L'air dérouté, il jeta un regard las autour de lui.

– Bliss, c'est bien toi ?

– En personne ! répondit-elle avec un grand sourire. C'est bon de te voir !

Elle lui donna un petit coup de poing sur l'épaule.

– Il faut qu'on se tire d'ici, leur rappela Theodora en coupant les cordes qui entouraient le torse d'Oliver. Tu es en état de marcher ?

Il se hissa sur ses pieds et acquiesça. Elle le prit par la main et se dirigea vers le trou dans le plancher.

– C'était facile, dit Bliss tandis qu'ils se faufilaient parmi les corps inconscients.

– Pas tout à fait, dit alors une voix tranquille.

Theodora fit volte-face. Elle connaissait cette voix.

L'un des *Venator* endormis s'avança subitement. C'était celui qui l'avait attaquée tout à l'heure.

– Vous allez m'aider à mettre le point final, tous les trois, dit-il.

Et sur un geste de sa main, le noir se fit.

En rouvrant les yeux, Theodora entendit un hurlement sauvage.

Ils étaient dans le *Glom*.

SIX

La malédiction d'Abbadon

Jack leva le poing, et le tourbillon d'esprits des Abîmes s'immobilisa un instant. La clameur de leurs voix démentes était assourdissante. Leurs silhouettes tordues virevoltaient si vite qu'on les distinguait à peine, comme une terrifiante tornade se tortillant dans toutes les directions. Il percevait la peur panique des Venator. Les Chercheurs de Vérité étaient vieux de plusieurs siècles et avaient livré des batailles humaines comme surnaturelles, mais les créatures des Abîmes étaient positivement horrifiques. Il laissa un instant la masse noire flotter au-dessus de leurs têtes.

Le hurlement glaçant se tut momentanément, et Jack se concentra sur le capitaine des *Venator*. Il s'adressa à l'homme qui s'était moqué de lui un peu plus tôt.

– Relâche Oliver et j'épargnerai ton armée. Tu pourras retourner vers la comtesse avec tes hommes intacts.

Le commandant fit la grimace.

– Nous sommes engagés dans une mission sans retour, mon cher. Nous avons été envoyés pour te neutraliser à tout prix. Tu tiens peut-être mon armée, mais moi je tiens tes amis.

À cet instant précis, trois silhouettes se matérialisèrent devant eux : Oliver, Bliss et Theodora, chacun gardé par un *Venator*. Celui qui tenait Theodora brandissait une épée toute miroitante de feu noir. Oliver et Bliss, les simples mortels, ne semblaient pas dans leur assiette. Avec leur esprit, les humains pouvaient prendre pied dans le *Glom*, mais en raison de leur constitution physique et psychologique, ils étaient violemment secoués par leur expérience du monde crépusculaire. Les effets secondaires incluaient nausées et vertiges.

Le capitaine des *Venator* eut un fin sourire.

– Rends-toi, Abbadon. Laisse la comtesse t'aider à revenir vers l'Étoile du Matin.

– Non ! Jack, ne fais pas ça ! s'écria Theodora. Ne les laisse pas t'emmener !

C'était donc cela que voulait Drusilla. Son ancienne allégeance. Une occasion de se racheter auprès de son ancien maître. Car à une époque, c'était de Lucifer qu'il prenait ses ordres.

Jack secoua lentement la tête. Les créatures des Abîmes avaient un pouvoir prodigieux, mais leurs forces manquaient de cohésion. Elles pouvaient déchiqueter corps et armes avec une facilité colossale, mais elles ne sauraient sauver ses amis d'un preste coup de couteau. Il ne pouvait plus rien pour eux. Il était incapable de protéger son amour. Il sut alors ce qu'il avait à faire. Il contempla la bague à son doigt.

Le *Venator* reprit la parole.

– Tu as le choix. Rends-toi, et nous les libérons. Bats-toi, et ils mourront.

Jack n'hésita pas. Ouvrant le poing, il libéra la fureur sauvage des créatures. Il regarda son ennemi droit dans les yeux et rugit :

– SOIT, QU'ILS MEURENT !

Bliss hurla, et Oliver se retourna brusquement vers l'homme qui le retenait pour le frapper maladroitement en pleine poitrine. Mais Theodora, elle, resta un instant sans bouger.

Elle ne savait plus que penser. Il fallait qu'elle se fie à Jack. Il fallait qu'elle croie qu'il avait une bonne raison de faire cela. Donc, il lui fallait accepter l'idée que leur sacrifice faisait partie de son plan. Elle lui avait juré de lui faire confiance. Quoi qu'il arrive. Même s'il se passait quelque chose qu'elle ne comprenait pas.

– Tuez-la en premier, cracha Jack en la désignant.

Elle contempla les traits furieux et déformés de son amoureux. Pendant une seconde, ils se regardèrent droit dans les yeux, et la haine qu'elle y vit la fit frémir.

C'était une ruse. C'était *forcément* une ruse. Il mentait. N'est-ce pas ? Elle était au bord de la panique, mais se força à réfléchir. C'était assurément un mensonge, mais pour une raison qui lui échappait, Jack voulait lui faire croire qu'il ne l'aimait pas. Là, elle comprit. Jack *savait*. Il était au courant pour la bague et le pouvoir qu'elle avait sur lui, un pouvoir alimenté par l'émotion la plus profonde de son âme : son amour pour lui. Donc, il fallait qu'elle trouve le moyen de ne plus l'aimer. Elle n'avait jamais affronté une épreuve aussi difficile, mais elle se força, se persuada de croire au mensonge. Elle y crut de tout son cœur. *Jack ne l'aimait pas. Jack ne l'avait jamais aimée. Jack voulait sa mort. Jack...*

Et, comme elle le voulait, son amour pour lui chancela un bref instant.

Le charme était rompu, et l'anneau tomba au sol en fumant. La transformation fut instantanée. Jack se volatilisa, et il n'y eut plus qu'Abbadon, l'Ange de la Destruction, relevant sa tête terrifiante, ses ailes noires battant dans le vent.

Avec une puissante férocité, Abbadon lutta contre le garde qui tenait une épée noire, et l'arme se tordit dans sa poigne implacable, puis vola en éclats avant d'avoir touché le sol. Abbadon souleva le *Venator*, frêle et dérouté, par la peau du cou, et le précipita dans la tornade noire.

Theodora ne fut pas moins vive : elle pivota face au *Venator* qui avait, le premier, fait verser cette soirée dans l'horreur. Elle se glissa entre Oliver et l'arme de l'adversaire, les genoux fléchis pour parer ses coups rapides, leurs lames se rejoignant en l'air. Le *Venator* jeta sa dague de côté et dégaina une épée plus longue. Mais Oliver, las d'être captif, se découvrit des forces nouvelles lorsqu'une bouffée d'adrénaline se déversa dans ses veines. Il trouva le point faible du *Venator* et lui envoya un puissant coup de poing. L'ennemi se tourna vers lui en agitant son épée, mais la diversion laissait son flanc droit à découvert.

Theodora s'engouffra dans la brèche et plongea profondément son arme dans la cuirasse de l'adversaire. Celui-ci tituba de côté, dérouté par les coups qui pleuvaient de partout, désemparé par la force de cette fille. Il tenta de reprendre son équilibre, mais un coup de pied surprise de Bliss l'envoya au sol les quatre fers en l'air. Vaincu, il s'effondra.

Theodora, pliée en deux, tentait de reprendre son souffle lorsque Jack posa tendrement la main sur son épaule.

– C'est terminé, dit-il. Nous ne risquons plus rien. Partons.

– Jack...

Elle ne trouvait pas les mots. Même si la bataille était gagnée, elle avait le sentiment de l'avoir trahi. Même si c'était une ruse, même si elle avait dû le faire pour restaurer sa puissance, elle tenait à ce qu'il sache qu'elle n'avait jamais cessé de l'aimer. Pas même en cet instant. Elle avait réussi à berner le maléfice pour rompre le sortilège, mais son cœur était inébranlable.

– Je sais, dit-il tout bas. Et j'espère que tu sais...

– Tu n'as pas besoin de le dire, chuchota-t-elle, les larmes aux yeux à la vue de l'étincelle dans ceux de Jack, qui avaient retrouvé toute leur chaleur.

Ç'avait été terrifiant de croire à sa colère et à son indifférence. Cela avait remué sa crainte la plus profonde : que les sentiments de Jack pour elle soient faux, que leur amour ne soit qu'un rêve. Mais à présent, serrée dans ses bras, elle comprenait que c'étaient ses craintes qui étaient fausses, et leur amour bien réel.

– Désolé de t'avoir fait vivre une chose pareille. Pardonne-moi, dit-il, le nez plongé dans ses cheveux.

La main de Jack tenait sa nuque avec tendresse, mais en y appliquant cette pression possessive qui donnait toujours à Theodora un frisson secret.

Elle secoua la tête. L'épreuve avait été dure, mais ils l'avaient affrontée ensemble. Leurs amis étaient sains et saufs, et leur amour triomphait de tous les maléfices. Désormais, plus rien ne pouvait les retenir.

Lorsqu'elle rouvrit les paupières, ils étaient tous de retour dans le monde physique, dans les galeries sous la villa.

SEPT

Répétition générale

– Portons un toast, proposa Oliver, debout, en levant son verre.

Ils étaient attablés, rien que tous les quatre : l'heureux couple et les deux amis qui avaient fait un grand voyage pour être présents en ce jour. Ils avaient enduré la violence et le mal, et à présent, ils étaient prêts à faire la fête.

Theodora, rayonnante, s'adossa contre Jack en attendant de voir ce qu'allait dire Oliver. Après avoir fui la villa Malavolta en laissant derrière eux l'armée de la comtesse laminée, dévastée et incapable de menacer la sécurité de quiconque, ils avaient suivi Jack dans les rues de la cité. Le couple avait veillé à ce que les deux camarades retrouvent sans encombre leur hôtel, et après avoir pris quelques heures de repos pour se remettre de leur dernière aventure, ils s'étaient rassemblés pour aller dîner dans une *trattoria* du quartier.

Oliver l'avait prise à part pendant le trajet entre le *palazzo* et le restaurant, glissant son bras sous le sien.

– Il ne va pas le prendre mal, hein ? dit-il en souriant avec un geste en direction de Jack.

Theodora secoua négativement la tête et lui pressa le bras.

– Bien sûr que non, Ollie. C'est tellement bon de te revoir !

Elle était ravie que leur affection soit si dénuée de gêne. Lorsque leurs chemins s'étaient séparés à l'aéroport, quelques mois plus tôt, elle s'était demandé si elle le reverrait un jour, et son cœur se gonflait à le voir si heureux et en forme.

– Tu as quelque chose de changé. Tu as l'air d'aller bien. Qu'est-ce qu'ils t'ont fait, ces *Venator* ? blagua-t-elle.

– Ah, rien d'insurmontable pour un vieux baroudeur comme moi. Mais tu as raison. J'ai changé.

Il lui parla de Freya, la sorcière qui avait guéri son cœur et son sang.

– Je ne suis plus marqué.

– Je l'ai senti.

Theodora hocha la tête et scruta attentivement son visage ouvert et amical.

– Je suis si contente !

Ils avaient retrouvé leur ancienne complicité : deux amis aux émotions bien claires et sans ambiguïté, comme avant. Oliver avait raison. C'était de la magie.

– Alors, c'est du sérieux ? le taquina-t-elle.

– Non. Je ne la reverrai sans doute jamais, mais c'est bien comme ça. Ne t'inquiète pas pour moi.

Et sur ce, il lui posa un gros baiser sur le front.

– Hé, ho ! s'exclama Jack. C'est réservé au marié, ça !

Theo et Oliver éclatèrent de rire et entrèrent derrière Jack et Bliss dans le petit restaurant. Quand le patron apprit qu'il s'agissait d'un dîner d'avant-mariage, le repas se transforma en festin : grandes assiettes de tendre carpaccio et de courgettes grillées, tagliatelles carbonara aux truffes blanches, raviolis garnis de poire et de pecorino, et un steak à la florentine qui fondait dans la bouche. En dessert, il y eut de grosses portions de *Sachertorte*, de tarte tatin, et le meilleur tiramisu que Theodora eût jamais mangé.

Oliver, debout en plein restaurant, toussota.

– Je veux porter un toast, dit-il, à un couple exceptionnel. Je voulais dire quelque chose de simple et d'élégant en cette grande occasion, alors je vais me reposer sur les poètes. Cette ode a été composée pour un mariage.

Il se mit à lire un poème de Frank O'Hara. C'était une longue histoire d'amour et d'amitié, et le groupe était suspendu à ses lèvres.

– Ce poème n'en finit plus parce que notre amitié a été longue, longue pour cette vie et cette époque, conclut-il avec un sourire. Et je le prolongerais encore aussi longtemps que j'espère voir durer notre amitié, si je savais moi aussi composer des vers.

– Bravo ! l'acclama Jack tandis que Theodora trinquait avec lui.

Oliver se rassit sous les applaudissements, car même les autres clients s'étaient arrêtés de manger pour écouter la musique de ses mots.

133

Puis ce fut Bliss qui se leva.

– Oliver, c'est dur de passer après toi, plaisanta-t-elle.

Elle s'éclaircit la gorge.

– Je veux juste exprimer à quel point je suis honorée d'être ici aujourd'hui. Nous t'aimons, Theo, et parce que nous aimons Theo, nous t'aimons aussi, Jack. Prenez soin l'un de l'autre. Soyez bons l'un envers l'autre. Tous nos vœux vous accompagnent, du fond de notre cœur. Ne nous oubliez pas et n'oubliez pas de nous appeler à l'aide si vous en avez besoin.

Elle se tut et Theo, pendant un instant, crut qu'elle allait évoquer les nombreux dangers qu'ils affronteraient bientôt. Ses amis savaient qu'après les noces, Jack et elle seraient séparés, qu'ils se trouvaient en ce moment dans une petite bulle, une oasis de bonheur avant une longue et sombre histoire de séparation et de menace inconnue.

Dans deux jours, tous les quatre quitteraient l'Italie pour entreprendre chacun son périlleux voyage. Oliver rentrerait à New York, où des vampires se faisaient mystérieusement enlever ; Bliss se lancerait à la poursuite des insaisissables Chiens de l'Enfer ; Theodora partirait pour Alexandrie, afin de perpétuer l'héritage de son grand-père ; et Jack s'en irait affronter sa jumelle et son destin, voir s'il pourrait remporter la bataille contre la Mort en personne.

Mais Bliss n'évoqua aucun sujet sombre. Elle n'avait pas besoin de le faire : tous pensaient à la même chose. D'une voix claire, elle clama :

– À Theo et Jack !

Les verres tintèrent et les exclamations fusèrent. Bliss serra fermement Theodora dans ses bras. Theodora attira Jack dans leur accolade, et Bliss fit de la place à Oliver, afin qu'ils forment, à eux quatre, un cercle parfait.

HUIT

Matin de noces

Tôt le lendemain matin, dans l'intimité de leur lit, Theodora se blottit contre Jack. Le soleil entrait à flots dans la chambre, l'emplissant de chaleur. Le jour de leur union était arrivé. Elle sentit la main de son homme dans le bas de son dos, sa peau sur la sienne lorsqu'il la glissa sous le tissu léger. Elle se tourna vers lui de manière à être enveloppée, broyée dans ses bras.

Sans dire un mot, Jack couvrit de baisers sa joue et son cou, et Theodora sentit son corps passer sur le sien, peser sur elle. Ce soir, ils seraient unis.

Mais ce matin-là, ils étaient encore deux individus.

Après tous ces rendez-vous galants dans l'appartement secret, on aurait pu croire qu'ils avaient déjà sauté le pas. Mais non, elle était encore chaste. Encore innocente, quoique tout de même pas aussi naïve qu'une jeune vierge se glissant dans le lit nuptial, nerveuse et tremblante. Non. Pas innocente *à ce point*. Mais elle avait tenu à attendre pour ceci, à attendre d'être prête ; et à présent, elle ne voulait plus attendre.

Elle ouvrit les yeux. Jack la regardait. À sa question muette, elle répondit par un baiser. *Oui, mon amour. Oui. Maintenant.*

Elle souleva le tee-shirt du garçon sur son torse et l'aida à s'en défaire, tout en caressant son corps du bout des doigts. Il était si beau, si fort... Et il était à elle. Elle se sentait douce et souple en dessous de lui. Il avait la peau chaude, et tous deux étaient brûlants à l'intérieur.

Elle ne pouvait plus respirer, ne pouvait plus penser, elle ne pouvait plus que ressentir : ressentir ses baisers, ses caresses, son poids, leur unité à tous les deux.

Jack plongea ses crocs dans son cou et elle s'abandonna à lui, à l'amour, au plaisir, au contact de son corps partout sur elle – dans toutes les parties d'elle-même. Il la prit et la retint, et lorsque cela arriva, elle se sentit brisée, libre et neuve.

Elle ne pouvait plus s'arrêter de pleurer. Elle était trop heureuse, bien que « heureuse » ne fût pas le terme exact. C'était plus que cela. C'était fort et ça courait en elle comme si elle était une chandelle allumée, une extension de son amour et de son désir, un paquet de nerfs à vif. Elle se sentait ouverte, comblée, vaincue.

– Qu'est-ce qui ne va pas, mon amour ? lui glissa-t-il à l'oreille.

Le beau visage de Jack n'était qu'à un souffle du sien.

Elle l'attira plus fort contre elle et l'embrassa voracement. *Rien. Rien... Rien du tout.*

C'était merveilleux, effrayant, maladroit, extatique, et le

sang et la douleur lui donnaient le tournis. Mais le plaisir était plus fort, bien plus fort que tout ce qu'elle aurait pu imaginer.

Un doux oubli de soi.

Ce soir, ils seraient unis. Ce soir, elle serait à lui. Mais elle l'était déjà.

NEUF

La mariée angélique

Au coucher du soleil, Theodora gravit les marches d'une petite église du nord de la cité. Elle avait fait le trajet seule, comme le voulait la coutume, posant légèrement sur les pavés ses sandales de cuir neuves. À son arrivée, Bliss l'attendait sous le porche.

– Tu es superbe, comme d'habitude, soupira cette dernière. Et cette robe ! Tiens, Jack m'a demandé de te donner ceci.

Bliss lui tendit un bouquet de fleurs des champs. Semblable à celui que Jack lui avait offert pendant leur ascension du Monte Rosa.

Theodora sourit en le lui prenant des mains. Elle mit une fleur dans ses cheveux. Son cœur battait la chamade et elle débordait d'amour – pas seulement pour Jack, mais aussi pour ses amis, qui étaient avec elle ce soir.

– Où est la reine de la soirée ? demanda une voix.

– Ollie ! s'écria Theodora en l'embrassant avec effusion.

Même s'ils s'étaient vus la veille au soir, elle était enchantée qu'ils soient tous là les uns pour les autres, après tout ce qu'ils avaient traversé. C'était exactement ce dont elle avait rêvé. Une union était à la fois un engagement entre Jack et elle et une célébration pour leur communauté. Elle était parmi les siens.

– Je crois que c'est moi qui t'amène à l'autel, dit Oliver d'un ton joyeux. C'est bien normal, tu ne crois pas ?

Derrière les portes fermées de la chapelle, Theodora entendit les premiers accords de la Marche des fiançailles de Wagner. Un choix conventionnel peut-être, mais pour son union, Theodora ne voulait pas badiner avec la tradition. Elle éprouvait au contraire un désir profondément ancré de rendre hommage à l'institution qu'ils rejoignaient.

– Je crois que c'est le signal, dit-elle à Oliver en le prenant par la main.

Bliss ouvrit les portes et entra la première, en sa qualité de demoiselle d'honneur.

Contrairement à ce qu'elle aurait cru, Theodora n'était ni nouée ni anxieuse. Elle regardait droit devant elle.

Car il était là.

Son Jack, solide et droit. Leur amour avait été plus que mis à l'épreuve, mais il s'en était sorti intact. Leur amour était plus fort que jamais. Ce bonheur limpide et gai qui emplissait la nef était l'œuvre de Jack. Il avait jeté son propre sortilège, avait réussi à retrouver Bliss, et avait fait venir Oliver de New York. Et ils n'étaient pas les seuls amis présents. La petite chapelle était emplie de visages connus et souriants. Il y avait toute l'équipe de crosse : Bryce

Cutting, Jaime Kip, Booze Landgon, Froggy Kernochan. Hattie et Julius Jackson, rayonnants et fiers. Christopher Anderson. Ghedi, leur ami, malgré tout ce qui s'était passé.

Oliver lui fit une bise et serra la main de Jack.

Puis Jack embrassa Theodora sur le front, et tous deux s'avancèrent vers l'autel. Tout était bien, c'était merveilleux. C'était le plus beau jour de sa vie.

Quelque part, pas très loin, elle devinait la présence de ceux qui n'étaient pas là. Elle sentait Dylan, souriant. Elle percevait l'amour de ses grands-parents, Lawrence et Cordelia. Mais par-dessus tout, elle éprouvait la présence aimante et protectrice de sa mère et de son père, où qu'ils soient.

Il n'y avait pas de prêtre devant l'autel. Les unions sang-bleu étaient nouées par les fiancés eux-mêmes. Il leur suffisait d'échanger les paroles de circonstance pour consacrer leur union.

Jack se tourna vers Theodora et prit sa main gauche. Il lui glissa une bague au doigt. C'était celle que le *Venator* avait apportée. L'anneau maudit.

– Drusilla a cru pouvoir me gâcher ce jour. Mais elle se trompait. Je devrais la remercier, en réalité, de m'avoir rendu ce que j'avais perdu.

Theodora contemplait avec curiosité la bague à son doigt. Le métal blanc avait disparu. C'était à présent un jonc de couleur sombre, incrusté d'une ligne écarlate, comme s'il était forgé dans le fer et le sang.

Jack le tint dans la lumière.

Au fil des années passées sur cette Terre, j'ai amassé une fortune en gemmes et en trésors. Je peux t'offrir des diamants et des rubis, des saphirs et des émeraudes. Mais aucun joyau ne brille comme tes yeux.

Pendant qu'il parlait, Theodora se rendit compte qu'il ouvrait un chemin vers le *Glom*, et le temps d'un battement de cils, ils se retrouvèrent face à face dans le monde des ombres. L'église et leurs amis avaient disparu.

N'aie crainte ; pour eux, ce n'est que le plus bref des instants.

Il se tenait devant elle, sous sa forme véritable, ses ailes d'ébène incurvées dans son dos, ses cornes sur le front.

Theodora, en regardant de nouveau l'anneau à son doigt, vit que c'était un anneau de feu noir.

Sais-tu comment les anges ont été conçus ?

Elle fit non de la tête.

Lorsque le Tout-Puissant créa le monde, il façonna les Premiers Nés. Les Anges de la Lumière : Michel, Gabrielle et leurs semblables furent taillés dans l'impalpable étoffe des étoiles. Les Anges des Ténèbres, eux, furent forgés dans la Matière Noire qui soutient la Terre. Car il n'est nulle Lumière sans Ténèbres. Je suis fait de feu et de fer, de braises et de soufre.

Lorsque nous fûmes bannis du Paradis, nous perdîmes à jamais une partie de notre âme. En châtiment, nous fûmes condamnés à ne plus jamais apprendre à aimer. Liés à un destin décidé depuis le départ. Azraël et moi ne nous sommes pas choisis ; on a choisi pour nous. Nous ne connaissions rien d'autre.

L'anneau que tu portes est une portion de mon âme que ta mère m'a aidé à recouvrer. C'est elle qui nous sauva des Ténèbres et nous guida vers la Lumière. Étant sa fille, tu es toi aussi un Ange de Lumière. Le feu ne te brûle pas. J'ai perdu cette bague pendant la crise de Rome. Mais elle m'a été rendue à présent.

Cet anneau a été béni par Gabrielle elle-même.

Je n'ai jamais donné cet anneau, ni mon âme, à personne. Azraël n'a jamais joué aucun rôle là-dedans.

Ceci est la seule partie de moi qui m'appartienne vraiment, et désormais, ceci est à toi.

Lorsqu'ils sortirent du *Glom*, Theodora s'émerveilla du sombre anneau qui ceignait son doigt. Il paraissait si terne et ordinaire ! Et pourtant, il cachait une secrète histoire de guerre, de sang, d'amour, de perte, de pardon et d'amitié.

– Je ne l'enlèverai jamais, promit-elle. Et moi aussi, j'ai une bague pour toi.

Cette fois, ses mains ne tremblèrent pas lorsqu'elle glissa l'anneau à son doigt. C'était un simple bandeau d'or. À l'intérieur était gravée la date du mariage de ses parents. En partant de New York, elle avait réussi à emporter quelques biens précieux.

Ceci était l'alliance de mon père, lui dit-elle mentalement. *Elle est porteuse d'une protection dont l'a dotée ma mère lors de leur union. Je veux qu'elle soit à toi.*

Ils se prirent les mains et, devant tous leurs amis, prononcèrent les paroles qui les liaient, des paroles qui ne pouvaient être retirées.

– Je me donne à toi et t'accepte comme mienne, déclara Jack d'une voix légèrement tremblante, les yeux humides.

– Je me donne à toi et t'accepte comme mien, répondit Theodora en écho.

Elle se sentait calme et sereine, et posait sur lui un regard plein d'amour.

C'était fait.

Ils étaient unis.

Lorsqu'elle releva la tête vers Jack, ses yeux émeraude étincelaient. Il rayonnait de joie, de bonheur, de fierté. Theodora sentit son cœur se gonfler d'amour. Envers et contre tout, ils étaient ensemble. Envers et contre tout, elle était à lui et il était à elle.

Sentait-elle une différence ? Elle s'était figuré qu'un lien invisible se formerait entre eux, une sensation physique qui les attacherait l'un à l'autre. Pourtant, elle se sentait comme avant. En mieux. Plus entière. Plus en paix.

Les vivats et les applaudissements éclatèrent dans la chapelle.

Lorsqu'ils sortirent de l'église au son des joyeux accords de la Marche nuptiale de Mendelssohn, leurs amis les accueillirent avec des feux de Bengale qui illuminèrent la nuit noire et clamèrent leurs noms jusqu'aux cieux.

Jack resserra sa main autour de celle de Theodora, et

celle-ci lui rendit son étreinte. C'était leur code secret. Cela signifiait : « Je t'aime. »

Demain, Jack la quitterait. Demain il regagnerait New York et elle s'en irait vers Alexandrie.

Mais ce soir, ils allaient danser.

Remerciements

Merci du fond du cœur à ma famille. Mike et Mattie. Maman. Aina, Steve, Nicholas et Josey. Chit et Christina. Mama J et Papa J, et tous les autres J. Petit papa, tu me manques. Merci à mes charmants éditeurs, Christian Trimmer et Stephanie Lurie, et à tout le monde chez Hyperion. Merci à mon formidable agent, Richard Abate. Et merci à tous ceux qui suivent les sang-bleu depuis si longtemps. *Arrivederci* pour le moment, mais ce n'est qu'un au revoir. À bientôt.

D'autres livres

wiz
Albin Michel

www.wiz.fr
Logo Wiz : Cédric Gatillon

Composition Nord Compo
Impression Floch en janvier 2011
Éditions Albin Michel
22, rue Huyghens 75014 Paris

ISBN : 978-2-226-21999-2
ISSN : 1637-0236
N° d'édition : 19652/01. N° d'impression :
Dépôt légal : février 2011
Loi n° 49-956 du 16 juillet 1949 sur les publications destinées à la jeunesse.
Achevé d'imprimer au Canada
sur les presses de Imprimerie Lebonfon Inc.